1週間分作りおき！
フリージング離乳食
5カ月〜1歳半

監修：管理栄養士 川口由美子
料理：ほりえさちこ

はじめに

赤ちゃんのお世話って毎日ほんとうに大変ですよね。
私はふたりの子どもを育てる前は、
「私は料理の専門家だし大丈夫！」と
思っていましたが、現実はそうではありませんでした。
離乳食を作っても食べてくれなかったり、赤ちゃんの
寝ているすきに料理をしていたらすぐに起きて泣いてしまったり…、
赤ちゃんのお世話は、料理に限らず、一日中ずっと続きます。

だから、私は「無理しない離乳食づくり」を応援します！
離乳食は少ししか食べないので、毎回作るのは大変なもの。
フリージングを上手に活用すれば、ママが無理せずに作れて
赤ちゃんも食べたいときにさっと出せる離乳食を作れます。

お母さんが笑顔でいられることは、家族にも大切なこと。
赤ちゃんには、ママの笑顔が最高の栄養です。
食卓は家族の笑顔が集まる場所！
ママも赤ちゃんも「食事タイムは楽しいな」と
思ってくれますように。

管理栄養士　川口由美子

この本の使い方

●離乳食の進め方・4つのステップ

ゴックン期	5～6カ月ごろ
モグモグ期	7～8カ月ごろ
カミカミ期	9～11カ月ごろ
パクパク期	1歳～1歳6カ月ごろ

●食材の3つの栄養素のグループ

- …エネルギー源食品
- …ビタミン・ミネラル源食品
- …たんぱく質源食品

離乳食の4つのステップと週
赤ちゃんの発達や離乳食の進み具合に合わせた食材や調理法を提案しています。

1週間分（7食分）のストック食材
7食分（パクパク期のみおやつも）を作るために必要な食材と、その下ごしらえ＆フリージングの方法を紹介しています。食材は多めに下ごしらえ＆フリージングしている場合があります。

家にある食材
ストック食材のほかに使用する、調味料や買い置き食材です。

食材のグループ
レシピに出てくるストック食材は、3つの栄養素のグループ（エネルギー源食品、ビタミン・ミネラル源食品、たんぱく質源食品）で色分けしています。当てはまらない食材は、■で示しています。

レシピについて
月曜から日曜までの1週間分（7食分）のメニュー（パクパク期のみおやつも）を提案しています。

- 火力は特記のない場合、中火です。加熱時間は目安です。使用する加熱器具によって異なります。
- はちみつは乳児ボツリヌス症にかかるおそれがありますので、1歳未満の乳児には与えないでください。
- 砂糖は上白糖、塩は精製塩、小麦粉は薄力粉です。しょうゆ、みそは特記のない場合は濃口しょうゆと好みのみそことです。商品によって塩分が異なるので、量は加減してください。
- 卵はLサイズ（60g）を使用しています。
- 表示している1カップは200ml、計量スプーンの小さじ1は5ml、大さじ1は15mlです。
- 「少々」は小さじ1/8～小さじ1/10（約0.5g）で、親指と人差し指の2本の指先でつまむくらい、「ひとつまみ」は小さじ1/4～1/5（約1g）で、親指と人差し指、中指の3本の指先でつまむくらいです。
- 電子レンジの加熱時間は600Wで使用した場合の目安です。500Wの場合は、約1.2倍にしてください。機種によって加熱具合が異なる場合があります。
- オーブントースターは1000Wで使用した場合の目安です。機種によって加熱具合が異なります。表記の時間を目安に、ようすを見ながら調整してください。
- フライパンはフッ素樹脂加工のものを使用しています。

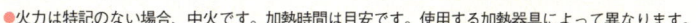

1週間分作りおき！
フリージング離乳食

CONTENTS

17 離乳食の進め方とフリージングの基本

- 18 離乳食の進め方
- 20 離乳食の栄養バランス
- 22 離乳食調理の基本
- 24 フリージングの基本
  - 24 ＊フリージング・6つのコツ
  - 26 ＊フリージング・アイテム
  - 27 ＊フリージングの解凍手順
  - 28 ＊フリージング解凍・4つのコツ
- 30 食材別・下ごしらえ＆フリージング方法
  - 30 ＊エネルギー源食品
  - 32 ＊ビタミン・ミネラル源食品
  - 34 ＊たんぱく質源食品

- 6 時期別・食べてよいもの＆いけないものリスト
- 10 時期別・食材の下ごしらえ＆フリージング方法リスト

離乳食のきほん
- 14 ❶おかゆ
- 15 ❷だし
- 16 ❸トマトソース・ホワイトソース

カミカミ期（9〜11カ月ごろ）

- 72 *離乳食の与え方、1食分の量とかたさの目安
- 74 *1〜2週目
- 78 *3〜4週目
- 82 *5〜6週目
- 86 *7〜8週目

パクパク期（1歳〜1歳6カ月ごろ）

- 90 *離乳食の与え方、1食分の量とかたさの目安
- 92 *1〜2週目
- 97 *3〜4週目
- 102 *5〜6週目
- 107 *7〜8週目
- 112 *9〜10週目
- 117 *11〜12週目

- 125 食材＆時期別メニューさくいん

39 フリージング離乳食のレシピ

ゴックン期（5〜6カ月ごろ）

- 40 *離乳食の与え方、1食分の量とかたさの目安
- 42 *1〜2週目
- 44 *3〜4週目
- 48 *5〜6週目

モグモグ期（7〜8カ月ごろ）

- 52 *離乳食の与え方、1食分の量とかたさの目安
- 54 *1〜2週目
- 58 *3〜4週目
- 62 *5〜6週目
- 66 *7〜8週目

- 36 ❶ 川口先生に聞く！離乳食Q＆A
- 38 ❷ 覚えておきたい とろみづけの方法
- 70 ❸ 活用したい！味の方程式
- 122 ❹ 川口先生に聞く！アレルギーの知識
- 123 ❺ 困った！具合が悪いときは
- 124 ❻ 生えはじめたらきちんとケア 歯みがきの方法

ものリスト

しょう。

【リストの見方】
- 😊 ゴックン期（5〜6カ月ごろ）
- 😊 モグモグ期（7〜8カ月ごろ）
- 😊 カミカミ期（9〜11カ月ごろ）
- 😊 パクパク期（1歳〜1歳6カ月ごろ）

- ○…食べやすいかたさ、形に調理し、「適量なら食べさせてOK」
- △…食べやすいかたさ、形に調理し、「ようすを見ながら、少量であれば食べさせてOK」
- ×…塩分や脂肪分が多すぎる、刺激が強すぎるなど、「今はまだNG」

エネルギー源食品

分類	食品	ゴックン	モグモグ	カミカミ	パクパク	説明
米・パン類	白米	○	○	○	○	消化吸収がよく、胃腸が未熟な赤ちゃんでも安心。時期に合わせてかゆの水分割合を変えましょう
	玄米、発芽玄米、五穀米	×	×	△	△	白米よりも消化吸収が悪いので、食べさせるときは少量をよくつぶしてから
	食パン、バターロール	△	○	○	○	小麦粉が原料なので、アレルギーの恐れも。油脂分や添加物が多いものは避けて
	もち	×	×	×	×	かみ切りにくくのどに詰まる危険があるのでNG。食べさせるのは、2歳以降にしましょう
	麩	△	○	○	○	原料が小麦粉なので、アレルギーの恐れも。ゴックン期の後半以降に、少量から試して
めん類	うどん（乾麺・ゆでうどん）	×	○	○	○	コシがあるので、やわらかくゆでて。小麦粉が原料なので最初は少量からようすを見ましょう
	そうめん、冷や麦（乾麺）	×	○	○	○	塩分が多いので、しっかりゆでましょう。小麦粉が原料なので少量からようすを見て
	スパゲティ、マカロニ（乾麺）	×	×	○	○	コシが強く弾力があるので、やわらかくゆでて。小麦粉が原料なので少量からようすを見て
	ビーフン	×	△	○	○	原料は米。熱湯でやわらかくゆでてもどして、食べやすい大きさに刻みましょう
	中華めん（乾麺・蒸しめん）	×	×	×	△	消化しづらい。1歳以降ならOK
	そば（乾麺）	×	×	×	×	アレルギーの心配があるので、今は与えません。1歳半をすぎたら少量からようすを見て
そのほか	じゃがいも	○	○	○	○	赤ちゃんにとって、野菜というよりもエネルギー源となる食材。調理しやすく、離乳食期に大活躍
	さつまいも	○	○	○	○	赤ちゃんにとってエネルギー源となる食材。甘みがあるので食べやすい
	長いも	×	×	○	○	かぶれやすいので注意を。与えるときには必ず加熱しましょう
	里いも	×	×	○	○	つぶしやすいので離乳食に向いていますが、かぶれることも
	かたくり粉	○	○	○	○	いも類などのでんぷんを粉末状にしたもの。とろみをつけたいときに大活躍。ゴックン期からOK
	コーンフレーク	×	○	○	○	かたいので、しっかりふやかせばOK。砂糖やチョコなどをまぶしていないプレーンを

たんぱく質源食品

分類	食品	ゴックン	モグモグ	カミカミ	パクパク	説明
大豆製品	豆腐	○	○	○	○	消化吸収がよく、高たんぱく。淡泊な味なので調理しやすく、ゴックン期から大活躍。絹ごし豆腐を
	豆乳	○	○	○	○	原料が大豆のみで無糖のタイプは、ゴックン期から加熱して離乳食に使っても。そのまま飲むのはカミカミ期から
	きな粉	○	○	○	○	大豆の粉末。ゴックン期からOKですが、粉末だと気管支に詰まる可能性があるので必ず湿らせます
	高野豆腐	△	○	○	○	豆腐を凍結乾燥させたもので栄養価が高い。しっかりもどせばOK。すりおろしたり、粉末状のものを使っても
	納豆	○	○	○	○	細かく刻んで。熱湯をかけて殺菌消毒するとよいでしょう
	大豆（水煮）	×	×	○	○	薄皮は消化が悪いので、必ずむいて。やわらかく煮たり、刻んだりして食べさせます
	油揚げ、厚揚げ	×	×	△	△	油で揚げているので油分が多く、あまり離乳食には向きません
乳製品	プレーンヨーグルト（無糖）	×	○	○	○	消化吸収がよいので離乳食期におすすめ。加糖はどの時期でもNG
	生クリーム（乳脂肪100％）	×	△	○	○	植物性はどの時期でもNG。脂肪分が多いので少量をときおり使う程度で
	牛乳	×	○	○	○	モグモグ期以降は加熱して調理に使ってOK。1歳以降はそのまま飲ませてもOK
	牛乳（無脂肪・低脂肪）	×	○	○	○	モグモグ期以降は加熱して調理に使ってよいが、添加物が入っているので、できたら普通の牛乳を
	カッテージチーズ	×	○	○	○	チーズのなかでもっとも脂肪分、塩分が少ない。高たんぱくなので、離乳食におすすめ
	プロセスチーズ、ピザ用チーズ	×	×	○	○	赤ちゃんが好きな味。うまみがありおいしいが脂肪分、塩分が多いので、使うときは少量を
	粉チーズ	×	○	○	○	脂肪分、塩分が多いので、使うときは少量を。粉末状で少量ずつ使いやすいので、離乳食向き
卵	卵	×	○	○	○	栄養価が高い卵黄は、モグモグ期以降OK。卵黄に慣れたら、全卵も食べてOK。卵はサルモネラ菌が繁殖しやすいので、しっかり火を通すこと。また、アレルギーの心配があるので、与えるときは少量ずつを。卵白の主成分はたんぱく質で、卵黄よりもアレルギーの原因となるので、より注意を
	温泉卵、半熟卵	×	×	×	○	卵黄、卵白ともに、完全に火が通っていないので、1歳以降に。市販品はNG

6

食べて大丈夫？
時期別・食べてよいもの＆いけない

赤ちゃんの胃腸は未熟で、成長とともに消化機能がととのいます。離乳食の食材は発達に合わせて選びま

たんぱく質源食品

魚	たい（真だい、金目だい）	○	○	○	○	アレルギーの恐れが少なく、淡泊な味わいで赤ちゃんにぴったり。はじめて魚を食べさせるときに◎
	ひらめ、かれい	○	○	○	○	アレルギーの恐れが少なく、淡泊な味わいで赤ちゃんにぴったり。はじめて魚を食べさせるときに◎
	めばる、きす	○	○	○	○	白身で食べやすい。アレルギーの恐れが少ないので安心です
	さわら	×	△	○	○	脂肪分があるので、たいやひらめ、かれいなどの白身魚に慣れてから
	たら	×	×	○	○	白身で食べやすいですが、アレルギーの心配があるので注意を
	生ざけ	×	○	○	○	脂肪分が多いので、モグモグ期から。塩ざけは塩分が強いので避けましょう
	サーモン（サーモントラウトなど）	×	×	×	△	脂肪分が多いので、カミカミ期後半から
	まぐろ、かつお	×	○	○	○	まぐろのトロは脂肪分が多いので避けて、赤身を。かつおは脂肪分の少ない背の部分を
	めかじき、まかじき	×	○	○	○	魚の種類は異なるが、どちらも低脂肪、高たんぱく。骨がないので、調理も楽ちん
	あじ、いわし、さんま	×	×	○	○	青背魚は脂肪分が多いので注意。小骨が多いので、しっかり骨をのぞいて
	ぶり	×	×	△	○	脂肪分が多い青背魚。脂肪分はゆでて落とすと◎
	さば	×	×	△	○	アレルギーの恐れがあるので、少量をようすを見ながら与えましょう
	生しらす	○	○	○	○	小えびなどがよく混ざっているので、注意を
	あゆ	×	×	△	○	苦味もあり、小骨が多いので離乳食には不向き。あげる場合には、小骨もすりつぶすなどの配慮を
	さしみ（生食）	×	×	×	×	どんな魚でも、どんなに新鮮でも、生食は絶対にダメです。必ずしっかり火を通しましょう
そのほかの魚介類	ほたて	×	×	△	○	モグモグ期以降食べてもOK。少量を、必ず加熱調理して
	かき	×	×	×	○	栄養価が高いが、食中毒が多いので注意を。必ずしっかり火を通しましょう
	あさり、はまぐり	×	×	×	○	カミカミ期は身は与えないが、だし汁はOK。貝類は加熱するとかたくなるので、細かく刻みましょう
	うに、いくら	×	×	×	×	細菌の心配があるので、生食は絶対にダメ！ 塩分が多く、アレルギーの恐れもあるので避けて
	いか、たこ	×	×	×	○	やわらかく煮ればOK。独特の弾力、歯ごたえがあるので、細かく刻んで
	えび、かに	×	×	×	○	アレルギーの心配があるので、無理に食べさせなくても
魚介加工品	しらす	○	○	○	○	熱湯をかけて必ず塩抜きを。しっかり乾燥してあるちりめんじゃこは、カミカミ期以降に
	かつおぶし	△	○	○	○	和風だしをとるときに。料理に細かく刻んで混ぜても
	ツナ缶（水煮）	×	○	○	○	まぐろやかつおが原料。水煮はOKですが、油漬けはダメなので、買うときによく見ましょう
	さけフレーク	×	×	△	△	塩分や添加物が加えてあるので、食べさせるときは少量を
	干物	×	×	×	△	塩分が多いので避けて。赤ちゃんには、生の魚を焼きましょう
	ちくわ、かまぼこ	×	×	×	△	かみ切りにくい上に、塩分や添加物が含まれているので避けて。与えるときは少量を
	はんぺん	×	×	△	○	塩分が多いので気をつけて。なるべく添加物の少ないものを。卵白が入っているのでアレルギーにも注意が必要。やわらかいようで、ゆでるとするっと飲み込んでしまうことがあるので、食べるときにきちんとかんでいるか見守ってあげて
	魚肉ソーセージ	×	×	×	△	やわらかく食べやすいが、塩分、添加物が多いので注意。なるべく添加物の少ないものを
	かに風味かまぼこ	×	×	×	△	添加物が多く、かみ切るのが難しいので離乳食には向きません。1歳すぎたら少量をアクセントとして
	たらこ	×	×	×	△	塩分が多いので、与えるときはごく少量を必ず加熱しましょう。明太子はダメです
	スモークサーモン	×	×	×	×	原料はさけですが、塩分、添加物が多いので、与えないでください
	桜えび	×	×	△	○	風味や味つけのアクセントに。かたいので、しっかり湿らせるか、粉末状に砕いてから
	さば（缶詰）	×	×	△	○	魚の缶詰は骨までやわらかくなっているので離乳食に向いています。ただし、さばはアレルギーの恐れもあるのでカミカミ期以降から。味つきは味が濃いので水煮を選ぶとよいでしょう。味つきの場合は、水で煮て薄味に仕上げるなどの工夫を

たんぱく質源食品

分類	食品	ゴックン期	モグモグ期	カミカミ期	パクパク期	備考
肉	鶏ささみ	×	○	○	○	低脂肪、高たんぱく。はじめて食べさせる肉は鶏ささみが最適です。すじはのぞいて
	鶏むね肉、鶏もも肉	×	△	○	○	鶏ささみに慣れたら、むね肉、もも肉の順番に食べさせてOK。皮と脂肪をのぞきましょう
	牛肉	×	×	○	○	鶏肉に慣れたら与えましょう。ヒレなど、脂肪分の少ない赤身の部位を選びましょう
	豚肉	×	×	○	○	牛肉に慣れたら。ヒレなど、脂肪分の少ない赤身の部位を与えましょう
	ひき肉	×	×	○	○	はじめは鶏むね肉（皮なし）、鶏ささみがおすすめ。牛や豚は、脂肪の少ない部位を
	レバー（鶏、豚、牛）	×	△	○	○	モグモグ期後半以降OKですが、しっかり火を通しましょう
	砂肝	×	×	×	×	かたいので、赤ちゃんには与えません
肉加工品	ハム、ベーコン、ソーセージ	×	×	×	△	塩分や添加物が多いので避けて。与えるときは、なるべく添加物の少ないものを

ビタミン・ミネラル源食品

分類	食品	ゴックン期	モグモグ期	カミカミ期	パクパク期	備考
野菜	にんじん	○	○	○	○	やわらかくゆでて。甘みがあるので、はじめて食べる野菜に適しています
	かぼちゃ	○	○	○	○	加熱は電子レンジがおすすめ。甘みがあるので、はじめて食べる野菜に適しています
	トマト、プチトマト	○	○	○	○	皮や種をとりましょう。プチトマトはのどに詰まりやすい食材なので、丸のままはNG
	トマト缶（ホール、カット）	○	○	○	○	無添加のものであれば、ゴックン期からOK。トマトジュースも無添加タイプであれば可
	ほうれん草、小松菜	○	○	○	○	鉄分が多く、栄養価の高い野菜。やわらかい葉先を食べさせましょう
	チンゲン菜	△	○	○	○	栄養価の高い野菜。やわらかい葉先を食べさせましょう
	パプリカ、ピーマン	○	○	○	○	パプリカは甘みがあるので、ピーマンよりも食べやすい。口あたりがよいように皮をむいて
	ブロッコリー、カリフラワー	○	○	○	○	モグモグ期までは花蕾の部分のみを、やわらかくゆでて。ビタミン類が多く、栄養価が高い野菜です
	キャベツ、白菜	○	○	○	○	繊維があるので、やわらかく加熱しましょう。芯は赤ちゃんには避けて
	玉ねぎ	○	○	○	○	加熱すると甘みが増すので、離乳食に最適
	長ねぎ、万能ねぎ	×	×	△	○	加熱すると甘みが増しますが、香りが強いので、あまりおすすめできません
	大根、かぶ	○	○	○	○	皮を厚めにむくと食べやすい。大根は葉に近いほうが甘みがあります
	大根の葉、かぶの葉	×	△	△	○	ビタミンCなどが豊富。やわらかくゆでましょう
	モロヘイヤ	○	○	○	○	栄養価の高い野菜。粘り気があるので、離乳食のとろみづけにも使えます
	とうもろこし（生、冷凍、水煮缶）	△	○	○	○	甘みが強く、赤ちゃんの好きな味。薄皮は消化に悪いので、必ずとりのぞいて
	ゴーヤー	×	×	×	○	苦みが強いですが、栄養価の高い野菜。ワタをしっかりのぞき、ゆでると苦みが軽減されます
	さやいんげん	△	○	○	○	すじを取ってからやわらかくゆでましょう
	スナップえんどう	△	○	○	○	甘みが強いので、赤ちゃんは食べやすい。豆はのどに詰まらせやすいので、細かく刻んで
	そら豆、枝豆、グリンピース	○	○	○	○	枝豆は薄皮をのぞくこと。のどに詰まりやすいので、なるべく2つに割りましょう
	もやし	×	△	○	○	与えるときは、ひげ根は必ずのぞきましょう
	なす、きゅうり	△	○	○	○	皮がかたいのでむきましょう。どちらもゆでてやわらかくして
	レタス、サニーレタス	○	○	○	○	赤ちゃんには加熱して与えましょう
	グリーンアスパラガス	△	○	○	○	赤ちゃんには皮がかたいので、むいて与えます。甘みがあるので、食べやすいでしょう
	オクラ	○	○	○	○	縦半分に切って、種をのぞきましょう
	れんこん、ごぼう	×	×	△	○	食物繊維が豊富。水にさらしてアク抜きをし、すりおろせばカミカミ期でもOK
	たけのこ（水煮）	×	×	×	△	えぐみがあるので、しっかりアク抜きを。やわらかい穂先であれば、パクパク期以降OK
	にら、しその葉、パセリ	×	×	×	△	香味野菜は刺激も強いので避けて。少量であればパクパク期に与えても
	きのこ類	×	△	○	○	食物繊維が豊富なのでぜひ食べさせたいきのこ類。細かく刻んで与えましょう
	にんにく、しょうが	×	×	×	△	刺激が強いので、パクパク期以降にごく少量であれば
果物	バナナ、りんご、いちご など	○	○	○	○	果物は種類によってアレルギーの心配があるので、最初は注意が必要です
	フルーツ（缶詰）	×	×	×	△	糖分が多いのでなるべく避けましょう。たまに少量だけならOK
	アボカド	×	△	△	○	やわらかく食べやすいですが、脂肪分が多いので注意しましょう。ごく少量であればOK

時期別・食べてよいもの＆いけないものリスト

【リストの見方】
- 😊 ゴックン期（5〜6カ月ごろ）
- 😊 モグモグ期（7〜8カ月ごろ）
- 😊 カミカミ期（9〜11カ月ごろ）
- 😊 パクパク期（1歳〜1歳6カ月ごろ）

- ○…食べやすいかたさ、形に調理し、「適量は食べさせてOK」
- △…食べやすいかたさ、形に調理し、「ようすを見ながら、少量であれば食べさせてOK」
- ×…塩分や脂肪分が多すぎる、刺激が強すぎるなど、「今はまだNG」

ビタミン・ミネラル源食品

		😊	😊	😊	😊	
海藻類	焼きのり	△	○	○	○	ミネラルが豊富。のどにくっつきやすいので、小さくちぎりましょう。味つきのりはNG
	ひじき（乾燥）	×	△	○	○	やわらかくもどし、細かく刻んで。食物繊維やミネラルが豊富なので、ぜひ食べさせたい食材
	わかめ（乾燥）、生わかめ	×	△	○	○	やわらかく調理して食べやすく。塩蔵わかめは塩分が多いのでNG
	青のり	×	×	○	○	ミネラルが豊富。粉末状で気管支に詰まらせやすいので、与えるときは必ず湿らせましょう

そのほかの食品

		😊	😊	😊	😊	
飲みもの	ベビー用果汁、野菜飲料	△	△	△	△	糖分が含まれているので、与えるときは満腹にならないよう少量にしましょう
	コーヒー、紅茶	×	×	×	×	カフェインが含まれており、赤ちゃんの胃腸には刺激が強すぎるのでNG。赤ちゃんには麦茶を
	ミネラルウォーター	×	×	×	×	豊富なミネラルが赤ちゃんの胃腸の負担に。与えるなら、赤ちゃん用ミネラルウォーターを
	乳酸菌飲料	×	×	×	×	甘くて赤ちゃんの好きな味。糖分が多いので、離乳食期はNGです
調味料	塩	×	×	△	○	赤ちゃんの腎臓に負担がかかります。カミカミ期から徐々に使いますが、量はごく少量を
	砂糖	×	×	△	○	カミカミ期から徐々に使いますが、量はごく少量を
	しょうゆ	×	×	△	○	塩分が多いので、赤ちゃんの腎臓の負担に。カミカミ期から徐々に使いますが、量はごく少量を
	バター	×	×	△	○	乳脂肪で消化吸収しやすいので、赤ちゃん向き。食塩不使用タイプがおすすめ
	植物油	×	×	△	○	使うときはサラダ油よりも、熱に強くて酸化しにくいオリーブ油、ごま油を選びましょう
	みそ	×	×	△	○	赤ちゃんの腎臓に負担がかかります。塩分が多いので使うときは、ごく少量を
	酒、みりん	×	×	△	○	使うときは加熱してアルコールを飛ばしましょう。ごく少量を
	トマトケチャップ	×	×	△	○	赤ちゃんの腎臓に負担がかかります。塩分が多いので使うときは、ごく少量を
	マヨネーズ	×	×	×	△	原料に生卵を使っているので、使うときは加熱しましょう。1歳以降は少量であれば加熱しなくても可
	酢	×	×	△	○	カミカミ期から徐々に使いますが、量はごく少量を
	ソース、オイスターソース	×	×	×	△	塩分が多いので、1歳以降に。ごく少量を
	カレー粉	×	×	×	△	刺激が強いので、与えるときはごく少量を
	はちみつ、黒砂糖	×	×	×	○	「乳児ボツリヌス症」の心配があるので、1歳未満は絶対にダメ！　1歳以降はOK
	豆板醤、XO醤、ゆずこしょう	×	×	×	×	刺激が強いので、離乳食期には使いません
嗜好品	ゼラチン	×	×	×	△	ゼリー状に固めたいときに。ただし、アレルギーの心配があるので、できれば寒天を
	寒天	×	×	○	○	ゼリー状に固めたいときに。海藻が原料なので、アレルギーの心配がありません
	和風だし、野菜スープ	△	○	○	○	手作りしてストックを。市販品を使うときは無添加のものを選び、大人よりも薄めましょう
	白ごま、黒ごま	△	△	△	○	良質な油を含むごま。気管に入りやすいので、すりごまのほうが安心です
	ナッツ類	×	×	×	×	アレルギーの心配があるので、避けて
	生麩、こんにゃく	×	×	×	×	弾力がありかみ切りにくく、のどに詰まらせる可能性があるので、避けて
	春雨	×	×	△	○	原料がじゃがいものものや豆のものがあります。カミカミ期では少しかみ切りにくいので注意
	パン粉	×	×	△	○	大きいと口ざわりが悪いので、細かいものを。揚げものではなく、パン粉焼きがおすすめです
	乾物（干ししいたけ、干しえび）	×	×	×	×	もどしてやわらかくしても、かたいので、避けましょう。もどし汁をだしとして使うのはOK
	ホットケーキミックス	×	×	×	△	小麦粉、卵などが含まれ、アレルギーの心配があります。糖分も含むので、与えすぎに注意
	小麦粉	○	○	○	○	アレルギーの恐れがあるので、最初は少量からようすを見て
	ベーキングパウダー	×	×	×	△	菓子などを膨らませたいときに。なるべくアルミニウムを含んでいないものを
	ジャム	×	△	△	△	糖分が多いので基本的に避けて。低糖タイプでも、小さじ2程度まで

ジング方法リスト

【リストの見方】
- 😊 ゴックン期（5～6カ月ごろ）
- 😊 モグモグ期（7～8カ月ごろ）
- 😊 カミカミ期（9～11カ月ごろ）
- 😊 パクパク期（1歳～1歳6カ月ごろ）
- 下…下ごしらえ方法
- フ…フリージング方法

【フリージングの方法】
- 保存容器　1食分ずつ保存容器に入れて冷凍する
- 保存袋　冷凍用保存袋に入れて冷凍する
- ラップ(1食分)　1食分ずつラップで包み、冷凍用保存袋に入れて冷凍する
- ラップ(棒状)　全量をラップで1本の棒状に包み、冷凍用保存袋に入れて冷凍する

エネルギー源食品

		😊 ゴックン期	😊 モグモグ期	😊 カミカミ期	😊 パクパク期
米、パン類	白米	下 白飯と水で10倍がゆを作る（→p.14） フ 保存容器	下 白飯と水で7倍がゆを作る（→p.14） フ 保存容器	下 白飯と水で5倍がゆを作る（→p.14） フ 保存容器	下 白飯と水で軟飯を作る（→p.14） フ 保存容器
	玄米、発芽玄米、五穀米	与えてはダメ	与えてはダメ	※上記の5倍がゆを作るときに少量混ぜて作り、よくつぶす	※上記の軟飯を作るときに少量混ぜて作り、よくつぶす
	食パン	下 耳を切り落として6等分に切る フ 保存袋	下 耳を切り落として6等分に切る フ 保存袋	下 耳を切り落として4等分に切る フ 保存袋	下 耳を切り落としてスティック状に切る フ 保存袋
めん類	うどん（乾麺）	与えてはダメ	下 熱湯でやわらかくくたくたにゆでて、2mm大のみじん切りにする フ ラップ(1食分)	下 熱湯でやわらかくくたくたにゆでて、7～8mm長さに刻む フ ラップ(1食分)	下 1～2cm長さに切る フ ラップ(1食分)
	そうめん、冷や麦（乾麺）	与えてはダメ	下 熱湯でやわらかくくたくたにゆでて、2mm大のみじん切りにする フ ラップ(1食分)	下 熱湯でやわらかくくたくたにゆでて、1cm長さに切る フ ラップ(1食分)	下 熱湯でやわらかくくたくたにゆでて、2cm長さに切る フ ラップ(1食分)
	スパゲティ、マカロニ（乾麺）	与えてはダメ	与えてはダメ	下 熱湯でやわらかくくたくたにゆでて、7～8mm長さに切る フ ラップ(1食分)	下 熱湯でやわらかくくたくたにゆでて、1～2cm長さに切る フ ラップ(1食分)
	ビーフン	与えてはダメ	下 熱湯でやわらかくゆでて、2mm大のみじん切りにする フ ラップ(1食分)	下 熱湯でやわらかくくたくたにゆでて、7～8mm長さに切る フ ラップ(1食分)	下 熱湯でやわらかくくたくたにゆでて、1～2cm長さに切る フ ラップ(1食分)
	中華めん（乾麺）	与えてはダメ	与えてはダメ	与えてはダメ	下 熱湯でやわらかくくたくたにゆでて、1～2cm長さに切る
いも類	じゃがいも	下 皮をむいて水からやわらかくゆでて、裏ごしする フ ラップ(1食分)	下 皮をむいて水からやわらかくゆでて、つぶす フ ラップ(1食分)	下 皮をむいて水からやわらかくゆでて、つぶす フ ラップ(1食分)	下 皮をむいて水からやわらかくゆでる フ ラップ(1食分)
	さつまいも	下 皮を厚めにむいて水にさらし、水からやわらかくゆでて、裏ごし湯でのばす フ ラップ(1食分)	下 皮を厚めにむいて水にさらし、水からやわらかくゆでて、つぶすか2～3mm大のみじん切りにする フ ラップ(1食分)	下 皮を厚めにむいて水にさらし、水からやわらかくゆでて、7mm角に切る フ ラップ(1食分)	下 皮を厚めにむいて水にさらし、水からゆでて、1cm角×5cm長さのスティック状に切る フ ラップ(1食分)
	長いも	与えてはダメ	与えてはダメ	下 すりおろす フ 保存容器	下 すりおろす フ 保存容器
	里いも	与えてはダメ	下 水からやわらかくゆでて、つぶすか、2mm大のみじん切りにする	下 水からやわらかくゆでて、7mm角に切る フ ラップ(1食分)	下 水からゆでて、1cm角に切る フ ラップ(1食分)

たんぱく質源食品

		ゴックン期	モグモグ期	カミカミ期	パクパク期
大豆製品	高野豆腐	下 すりおろしてだし汁などで煮て、ペースト状にする フ 保存容器	下 水やぬるま湯につけてしっかりもどし、2mm大のみじん切りに刻んで煮る フ 保存容器	下 水やぬるま湯につけてしっかりもどし、5mm大の粗みじん切りに刻んで煮る フ 保存容器	下 水やぬるま湯につけてしっかりもどし、7mm大に刻んで煮る 冷 保存容器
	納豆	与えてはダメ	下 熱湯をかけて、2～3mm大のみじん切りにする フ 保存容器	下 熱湯をかけて、4～5mm大の粗めのみじん切りにする フ 保存容器	下 熱湯をかけて、4～5mm大の粗めのみじん切りにする フ 保存容器
	大豆（水煮）	与えてはダメ	与えてはダメ	下 薄皮をむき、やわらかく煮る。5～6mm大の粗みじん切りにする フ ラップ(1食分)	下 薄皮をむき、やわらかく煮る。7～8mm大に刻む 冷 ラップ(1食分)

\迷ったらチェック/
時期別・食材の下ごしらえ＆フリー

フリージングに向いている食材をピックアップし、その下ごしらえとフリージング方法をわかりやすくリストにまとめました。

		😊 (ピンク)	😊 (緑)	😊 (オレンジ)	😊 (紫)
たんぱく質源食品					
卵	全卵	与えてはダメ	(黄身)下かたゆで卵にして黄身をつぶす フ ラップ(1食分) ※卵黄に慣れたら、全卵もOK	下全卵をよく溶きほぐし、錦糸卵を焼き、5mm大に切る フ ラップ(1食分)	下全卵をよく溶きほぐし、錦糸卵を焼き、1cm大に切る フ ラップ(1食分)
魚	たい(真だい、金目だい)、ひらめ、かれい、めばる、きす	下熱湯でやわらかくゆでて、すりつぶして湯でのばす フ 保存容器	下熱湯でやわらかくゆでて、細かくほぐす フ 保存容器	下熱湯でやわらかくゆでて、1cm大にほぐす フ 保存容器	下熱湯でやわらかくゆでて、2cm大にほぐす フ 保存容器
	生ざけ、まぐろ、かつお、めかじき、まかじき、さわら	与えてはダメ	下熱湯でやわらかくゆでて、細かくほぐす フ 保存容器	下熱湯でやわらかくゆでて、1cm大にほぐす フ 保存容器	下熱湯でやわらかくゆでて、2cm大にほぐす フ 保存容器
	たら、サーモン(サーモントラウトなど)、あじ、いわし、さんま、ぶり、さば、あゆ	与えてはダメ	与えてはダメ	下熱湯でやわらかくゆでて、1cm大にほぐす フ 保存容器	下熱湯でやわらかくゆでて、2cm大にほぐす フ 保存容器
そのほかの魚介類	ほたて	与えてはダメ	下熱湯でやわらかくゆでて、2〜3mm大に細かくほぐすか刻む	下熱湯でやわらかくゆでて、5mm大に細かくほぐすか刻む フ 保存容器	下熱湯でやわらかくゆでて、5mm大に細かくほぐすか刻む フ 保存容器
	かき	与えてはダメ	与えてはダメ	下熱湯でやわらかくゆでて、みじんにたたくようにして刻む フ 保存容器	下熱湯でやわらかくゆでて、1cm大に刻む フ 保存容器
	あさり、はまぐり	与えてはダメ	与えてはダメ	身を与えてはダメ。だし汁のみ飲ませてOK	下熱湯でやわらかくゆでて、1cm大に刻む フ 保存容器
	いか、たこ	与えてはダメ	与えてはダメ	与えてはダメ	下熱湯でやわらかくゆでて、すりつぶすか、5mm大に細かく刻む 保存容器
	えび、かに	与えてはダメ	与えてはダメ	与えてはダメ	下熱湯でやわらかくゆでて、1cm大に刻む フ 保存容器
魚介加工品	しらす	下ざるに入れて熱湯をかけ、粗熱をとってすりつぶす フ 保存容器	下ざるに入れて熱湯をかけ、粗熱をとって粗くすりつぶす フ 保存容器	下ざるに入れて熱湯をかけ、粗熱をとってみじん切りにする フ 保存容器	下ざるに入れて熱湯をかけ、粗熱をとって粗めのみじん切りにする フ 保存容器
	ツナ(水煮缶)	与えてはダメ	下ざるに入れて熱湯をかけ、粗熱をとって細かくほぐすか、粗くすりつぶす フ 保存容器	下ざるに入れて熱湯をかけ、粗熱をとってほぐし、みじん切りにする フ 保存容器	下ざるに入れて熱湯をかけ、粗熱をとってほぐし、粗めのみじん切りにする フ 保存容器
	さけフレーク	与えてはダメ	与えてはダメ	下ざるに入れて熱湯をかけ、粗熱をとってほぐし、みじん切りにする フ 保存容器	下ざるに入れて熱湯をかけ、粗熱をとってほぐし、粗めのみじん切りにする フ 保存容器
肉	鶏肉(ささみ、むね肉、もも肉)	与えてはダメ	下熱湯でゆでて、細かく刻む(ささみはすじをのぞき、むね肉ともも肉は皮や脂肪を取りのぞく) フ ラップ(棒状) ※ささみに慣れてから、むね肉、もも肉の順にOK	下熱湯でゆでて、5mm大にほぐすか切る(ささみはすじをのぞき、むね肉ともも肉は皮や脂肪を取りのぞく) フ ラップ(1食分)	下熱湯でゆでて、1cm大にほぐすか切る(ささみはすじをのぞき、むね肉ともも肉は皮や脂肪を取りのぞく) フ ラップ(1食分)
	牛肉、豚肉 ※脂身の少ない赤身(ヒレ、もも)	与えてはダメ	与えてはダメ	(薄切り肉)下熱湯に入れてゆでて、ざるに広げて水けをきる。1cm大に切る フ ラップ(1食分)	(薄切り肉)下熱湯に入れてゆでて、ざるに広げて水けをきる。1〜2cm大に切る フ ラップ(1食分)

			😊	😊	😊	😊
たんぱく質源食品						
肉	ひき肉		与えてはダメ	与えてはダメ	下熱湯に入れ、菜箸で混ぜてほぐしながらゆで、水けをきる フ ラップ（棒状）	下熱湯に入れ、菜箸で混ぜてほぐしながらゆで、水けをきる フ ラップ（棒状）
	レバー（鶏、豚、牛）		与えてはダメ	下牛乳につけて血抜きをし、水洗いしてから熱湯でゆでて、細かく刻む フ ラップ（1食分）	下牛乳につけて血抜きをし、水洗いしてから熱湯でゆでて、1cm角に切る フ ラップ（1食分）	下牛乳につけて血抜きをし、水洗いしてから熱湯でゆでて、1〜2cm角に切る フ ラップ（1食分）
ビタミン・ミネラル源食品						
野菜	にんじん		下皮をむいて水からやわらかくゆでてすりつぶし、湯でのばす	下皮をむいて水からやわらかくゆでて、2〜4mm大のみじん切りにするか、粗くつぶす	下皮をむいて水からやわらかくゆでて、5〜7mm大の粗めのみじん切りにする フ ラップ（1食分）	皮をむいて水からやわらかくゆでて、8mm〜1cm角に切る フ ラップ（1食分）
	かぼちゃ		下種、わたをのぞく。ラップをかけて電子レンジで加熱し、皮をむいてつぶして湯でのばす フ ラップ（1食分）	下種、わたをのぞく。ラップをかけて電子レンジで加熱し、皮をむいて5〜6mm角に切る フ ラップ（1食分）	下種、わたをのぞく。ラップをかけて電子レンジで加熱し、皮をむいて7mm角に切る フ ラップ（1食分）	下種、わたをのぞく。ラップをかけて電子レンジで加熱し、皮をむいて8〜9mm厚さに切る フ ラップ（1食分）
	トマト		下熱湯で湯むきして（→p.23）種をのぞいてすりつぶす フ 保存容器	下熱湯で湯むきして（→p.23）種をのぞいて粗くすりつぶすか、2〜3mm大のみじん切りにする フ 保存容器	下熱湯で湯むきして（→p.23）種をのぞいて5mm角に切る フ 保存容器	下熱湯で湯むきして（→p.23）種をのぞいて8mm〜1cm角に切る フ 保存容器
	ほうれん草、小松菜、チンゲン菜、レタス、モロヘイヤ		下葉先を熱湯でやわらかくゆでて水にさらす。水けをきってすりつぶし、湯でのばす フ ラップ（棒状）	下葉先を熱湯でやわらかくゆでて水にさらす。水けをきって粗くすりつぶすか2〜3mm大に刻む フ ラップ（棒状）	下熱湯でやわらかくゆでて水にさらす。水けをきって4〜5mm大に刻む（茎もOK！） フ ラップ（棒状）	熱湯でやわらかくゆでて水にさらす。水けをきって1cm大に切る（茎もOK！） フ ラップ（棒状）
	パプリカ、ピーマン、グリーンアスパラガス		下種、へたをのぞき、皮をむいて熱湯でやわらかくゆでる。水けをきってすりつぶし、湯でのばす フ ラップ（棒状）	下種、へたをのぞき、皮をピーラーでむいて熱湯でやわらかくゆでる。水けをきって2〜3mm大に刻む フ ラップ（棒状）	下種、へたをのぞき、皮をピーラーでむいて熱湯でやわらかくゆでる。水けをきって4〜5mm大に刻む フ ラップ（棒状）	下種、へたをのぞき、皮をピーラーでむいて熱湯でやわらかくゆでる。水けをきって1cm大に切る フ ラップ（棒状）
	ブロッコリー、カリフラワー		下4cmくらいの小房に分けて熱湯でやわらかくゆでて、花蕾の部分をすりつぶし、湯でのばす フ ラップ（棒状）	下4cmくらいの小房に分けて熱湯でやわらかくゆでて、花蕾の部分を4〜5mm大に刻む フ ラップ（棒状）	下4cmくらいの小房に分け、熱湯でやわらかくゆでて、1〜1.5cm大に切る フ ラップ（棒状）	下4cmくらいの小房に分け、熱湯でやわらかくゆでて、2〜3cm大に切る フ ラップ（棒状）
	キャベツ、白菜		下熱湯でやわらかくゆでる。水けをきってすりつぶし、湯でのばす フ 保存容器	下熱湯でやわらかくゆでる。水けをきって2〜3mm大のみじん切りにする フ ラップ（1食分）	下熱湯でやわらかくゆでる。水けをきって4〜5mm大の粗めのみじん切りにする	下熱湯でやわらかくゆでる。水けをきって1cm大に切る フ ラップ（棒状）
	玉ねぎ		下皮と薄皮をむいて芯をのぞき、1枚ずつはがす。熱湯でやわらかくゆでて、すりつぶして湯でのばす フ 保存容器	下皮と薄皮をむいて芯をのぞき、1枚ずつはがす。熱湯でやわらかくゆでて、2〜3mm大のみじん切りにする フ 保存容器	下皮と薄皮をむいて芯をのぞき、1枚ずつはがす。熱湯でやわらかくゆでて、4〜5mm大の粗めのみじん切りにする フ 保存容器	下皮と薄皮をむいて芯をのぞき、1枚ずつはがす。熱湯でやわらかくゆでて、1cm大に切る フ 保存容器
	大根、かぶ		下皮を厚めにむいて水からやわらかくゆでる。すりつぶして湯でのばす フ 保存容器	下皮を厚めにむいて水からやわらかくゆでて、2〜4mm大のみじん切りにする フ ラップ（1食分）	下皮を厚めにむいて水からやわらかくゆでて、5〜7mm大の粗めのみじん切りにする フ ラップ（1食分）	下皮を厚めにむいて水からやわらかくゆでて、8mm〜1cm角に切る フ ラップ（1食分）
	大根の葉、かぶの葉		与えてはダメ	下葉先を熱湯でやわらかくゆでて水にさらす。水けをきって粗くすりつぶすか2〜3mm大のみじん切りにする フ ラップ（棒状）	下熱湯でやわらかくゆでて水にさらす。水けをきって4〜5mm大の粗めのみじん切りにする（茎もOK！） フ 保存容器	下熱湯でやわらかくゆでて水にさらす。水けをきって1cm大に切る（茎もOK！） フ 保存容器
	とうもろこし（生、冷凍、水煮缶）		下熱湯でやわらかくゆでて、生は薄皮をむいてすりつぶして湯でのばす（冷凍や水煮はゆでずに薄皮をむく） フ 保存容器	下熱湯でやわらかくゆでて、生は薄皮をむいてつぶす（冷凍や水煮はゆでずに薄皮をむく）	下熱湯でやわらかくゆでて、生は薄皮をむいて粗めのみじん切りにする（冷凍や水煮はゆでずに薄皮をむく） フ 保存容器	下熱湯でやわらかくゆでて、生は薄皮をむく（冷凍や水煮はゆでずに薄皮をむく） フ 保存容器
	ゴーヤー		与えてはダメ	与えてはダメ	与えてはダメ	下わたをのぞき、熱湯でやわらかくゆでて、1cm大に切る
	さやいんげん、スナップえんどう		下すじを取り、熱湯でやわらかくゆでてすりつぶし、湯でのばす フ 保存容器	下すじを取り、熱湯でやわらかくゆでてすりつぶすか2〜3mm大のみじん切りにする フ 保存容器	下すじを取り、熱湯でやわらかくゆでて、5mm大の粗めのみじん切りにする フ ラップ（1食分）	下すじを取り、熱湯でやわらかくゆでて、5mm大の粗めのみじん切りにする フ ラップ（1食分）

12

時期別・食材の下ごしらえ＆フリージング方法リスト

【リストの見方】
- 😊 ゴックン期（5〜6カ月ごろ）
- 😃 カミカミ期（9〜11カ月ごろ）
- 😀 モグモグ期（7〜8カ月ごろ）
- 😌 パクパク期（1歳〜1歳6カ月ごろ）
- 下…下ごしらえ方法
- フ…フリージング方法

ビタミン・ミネラル源食品

		ゴックン期	モグモグ期	カミカミ期	パクパク期
野菜	そら豆、枝豆、グリンピース	下 薄皮をむいて、熱湯でやわらかくゆでて、すりつぶして湯でのばす フ 保存容器	下 薄皮をむいて、熱湯でやわらかくゆでて、つぶす フ 保存容器	下 薄皮をむいて、熱湯でやわらかくゆでて、2〜3mm大のみじん切りにする フ 保存容器	下 薄皮をむいて、熱湯でやわらかくゆでて、4〜5mm大の粗めのみじん切りにする フ 保存容器
	もやし	与えてはダメ	下 ひげ根をのぞき、熱湯でやわらかくゆでて、3〜5mm長さに切る フ ラップ（棒状）	下 ひげ根をのぞき、熱湯でやわらかくゆでて、7〜8mm長さに切る フ ラップ（棒状）	下 ひげ根をのぞき、熱湯でやわらかくゆでて、1cm長さに切る フ ラップ（棒状）
	なす、きゅうり	下 皮をむいて、熱湯でやわらかくゆでて、すりつぶす フ 保存容器	下 皮をむいて、熱湯でやわらかくゆでて、2〜3mm大のみじん切りにする フ 保存容器	下 5mm大の粗めのみじん切りにし、やわらかくゆでる フ 保存容器	下 1cm角に切り、やわらかくゆでる フ 保存容器
	オクラ	下 縦半分に切って種をのぞき、熱湯でやわらかくゆでてすりつぶす フ 保存容器	下 縦半分に切って種をのぞき、熱湯でやわらかくゆでて、2〜3mm大のみじん切りにする フ 保存容器	下 縦半分に切って種をのぞき、熱湯でやわらかくゆでて、4〜5mm大の粗めのみじん切りにする フ 保存容器	下 縦半分に切って種をのぞき、熱湯でやわらかくゆでて、1cm大に切る フ 保存容器
	れんこん、ごぼう	与えてはダメ	与えてはダメ	下 水にさらしてアクを抜き、すりおろす（解凍時に必ず加熱する） フ 保存容器	下 れんこんは5〜7mm大に切り、ごぼうはささがきにする。水にさらしてアクを抜き、熱湯でゆでる フ ラップ（1食分）
	たけのこ（水煮）	与えてはダメ	与えてはダメ	与えてはダメ	下 穂先を熱湯でゆでてアクを抜き、1cm大に切る
	にら、しその葉、パセリ、にんにく、しょうが	与えてはダメ	与えてはダメ	与えてはダメ	下 （にんにく、しょうがは皮をむく）熱湯でゆでて2〜3mm大のみじん切りにする フ ラップ（1食分）
	きのこ類	与えてはダメ	下 軸や石づきを落とし、熱湯でゆでて2〜3mm大に刻む フ 保存容器	下 軸や石づきを落とし、熱湯でゆでて4〜5mm大に刻む フ 保存容器	下 軸や石づきを落とし、熱湯でゆでて7〜8mm大に切る フ 保存容器
果物	バナナ、りんご、いちご、桃、みかん、パイナップル、マンゴーなど	下 皮、種などをのぞいてすりおろすか、すりつぶす フ 保存容器	下 皮、種などをのぞいて3〜5mm大に刻む フ 保存容器	下 皮、種などをのぞいて7〜8mm大に切る フ 保存容器	下 皮、種などをのぞいて1〜2cm大に切る フ 保存容器
	フルーツ（缶詰）	与えてはダメ	与えてはダメ	与えてはダメ	（余ったら）下 皮、種などをのぞいて1〜2cm大に切る フ 保存容器
海藻類	ひじき（乾燥）	下 水やぬるま湯でやわらかくもどし、2mm大のみじん切りにする フ ラップ（1食分）	下 水やぬるま湯でやわらかくもどし、3〜5mm大に刻む フ ラップ（1食分）	下 水やぬるま湯でやわらかくもどし、4〜5mm大に刻む フ ラップ（1食分）	下 水やぬるま湯でやわらかくもどし、1cm長さに切る フ ラップ（1食分）
	わかめ（乾燥）、生わかめ	与えてはダメ	下 （乾燥は水やぬるま湯でやわらかくもどす）4〜5mm大に刻む フ ラップ（1食分）	下 （乾燥は水やぬるま湯でやわらかくもどす）7〜8mm大に切る フ ラップ（1食分）	下 （乾燥は水やぬるま湯でやわらかくもどす）1cm大に切る フ ラップ（1食分）

そのほかの食品

		ゴックン期	モグモグ期	カミカミ期	パクパク期
嗜好品	和風だし、野菜スープ	フ 大さじ1ずつ製氷皿に入れて冷凍する。冷凍後は、取り出して冷凍保存袋に入れ替える	フ 大さじ1ずつ製氷皿に入れて冷凍する。冷凍後は、取り出して冷凍保存袋に入れ替える	フ 大さじ1ずつ製氷皿に入れて冷凍する。冷凍後は、取り出して冷凍保存袋に入れ替える	フ 大さじ1ずつ製氷皿に入れて冷凍する。冷凍後は、取り出して冷凍保存袋に入れ替える
	春雨	与えてはダメ	与えてはダメ	下 水やぬるま湯でもどし、熱湯でくたくたにゆでて、7〜8mm長さに切る フ ラップ（1食分）	下 水やぬるま湯でもどし、熱湯でくたくたにゆでて、1〜2cm長さに切る フ ラップ（1食分）

離乳食のきほん1 おかゆ

おっぱい・ミルクを飲んでいた赤ちゃんがはじめて口にする食べものが、おかゆ。
赤ちゃんの未熟な消化器官にも負担にならないので、離乳食の主食となります。
米から炊くよりも、白飯から作るほうがかんたんでおすすめです。

1食分だけおかゆが必要なときは、炊飯器を使うとラクチン！

耐熱カップに赤ちゃん用の米と水を入れ、大人用に水加減した炊飯器の中央に入れてふつうに炊く。耐熱カップの内容量が5分目を超えないように注意！
※炊飯器の機種によっては炊けないこともあります。

10倍がゆ

最初は10倍がゆからスタート。徐々に水分を減らしてステップアップしていきます。

材料（できあがり300g）
白飯½カップ、水2カップ

ポイント！

最初のうちは赤ちゃんのようすに合わせ、裏ごししたり、軽くすりつぶしたりして食べさせます。裏ごしやすりつぶしは冷凍前ではなく、食べさせる前（解凍後）に行うとよいでしょう。

作り方

1 鍋に白飯、水を入れて、白飯をほぐしながら中火にかける。

2 ふたをして煮て、沸騰したら弱火にする。ふたを少しずらして10〜15分煮る。

3 火を止めて、ふたをして10分蒸らす。

目安	10倍がゆ ゴックン期 （5〜6ヵ月ごろ）	7倍がゆ モグモグ期 （7〜8ヵ月ごろ）	5倍がゆ カミカミ期 （9〜11ヵ月ごろ）	軟飯 パクパク期 （1歳〜1歳6ヵ月ごろ）	白飯 幼児や大人
1食の目安量	5〜30g	40〜80g	70〜80g	80〜90g	―
白飯から作るとき（白飯：水）	白飯½カップ＋水2カップ 1：4	白飯1½カップ＋水4½カップ 1：3	白飯2カップ＋水4カップ 1：2	白飯2½カップ＋水2カップ 5：4	―
できあがり量	300g（10〜60食分）	480g（6〜12食分）	680g（8〜9食分）	560g（6〜7食分）	―
米から炊くとき（米：水）	米大さじ2＋水1½カップ 1：10	米½カップ＋水3½カップ 1：7	米½カップ＋水2½カップ 1：5	米1½カップ＋水3カップ 1：2	米1合＋水1⅕カップ 1：1.2
できあがり量	220g（7〜44食分）	700g（8〜17食分）	500g（6〜7食分）	750g（8〜9食分）	―

※炊飯器を使う場合は、「かゆモード」で炊くのがおすすめです。

離乳食のきほん2 だし

離乳食は調味料をほとんど使わずに薄味に仕上げます。
味の決め手は、だし。時間のあるときに、和風だしや野菜スープをまとめて作り、
冷凍ストックしておくとよいでしょう。

野菜スープ

野菜は3種類以上使うとおいしい。
冷蔵庫で保存するときは3～4日が目安。

材料（作りやすい分量・できあがり量1½カップ）
かぶ1個、かぶの葉1個分、にんじん½本、キャベツ1枚、水2カップ　＊野菜は合わせて200～250gが目安。

作り方

1 かぶ、にんじんは皮をむいていちょう切りにする。キャベツはざく切り、かぶの葉は小さめのざく切りにする。

2 鍋に分量の水と**1**を入れて中火にかける。沸騰したら弱火にしてアクを取りながら15分煮る。

3 こし器でこす。

＊野菜のうまみはスープに出ているが、野菜は食べられる。離乳食用に細かく刻んで冷凍したり、大人のサラダに入れたりしても。

和風だし

昆布とかつおぶしのうまみがいっぱい。
冷蔵庫で保存するときは3～4日が目安。

材料（作りやすい分量・できあがり量2カップ）
昆布（4cm四方）1枚、かつおぶし10g、水2カップ

作り方

1 昆布の表面の汚れをふき、両端に切り込みを入れる。鍋に昆布と分量の水を入れて20～30分おいておく。

2 弱火にかけ、沸騰したら強火にしてかつおぶしを加える。再び煮立ったら火を止める。

3 こし器でこす。

和風だし＆野菜スープの保存は冷凍がおすすめ！

和風だし、野菜スープは大さじ1（15mℓ）ずつ製氷皿に入れて冷凍する。冷凍後は、取り出して冷凍用保存袋に入れ替えよう。

1食分だけだしが必要なときは、茶こしを使うとラクチン！

茶こしにかつおぶし5g（1袋）を入れて熱湯¾カップを注ぐ。5～10分つけておき、茶こしを上げる。少量のだしをとりたいときにおすすめ！

> 離乳食のきほん3

トマトソース・ホワイトソース

離乳食が進んできたら、味つけに変化が欲しくなります。
そんなときのおすすめは、調味料控えめのお手製トマトソースとホワイトソース。
食材に混ぜたり、のせたりしてアレンジを楽しんでください。

ホワイトソース

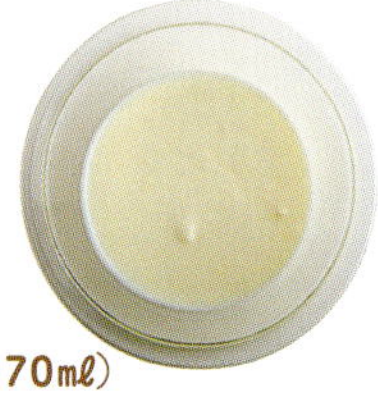

小麦粉はしっかりと火を通しましょう。
冷蔵庫で保存するときは2日が目安。

材料（作りやすい分量・できあがり量160〜170㎖）
牛乳1½カップ、小麦粉大さじ2、バター大さじ2

トマトソース

トマトと玉ねぎの酸味とうまみがおいしい。
冷蔵庫で保存するときは2日が目安。

材料（作りやすい分量・できあがり量180㎖）
トマト大1個（300g）→熱湯で湯むきして（→p.23）種をのぞいて
　1〜2cm角に刻む
玉ねぎ½個（100g）→みじん切り
オリーブ油大さじ½、水¼カップ、
砂糖小さじ¼、塩小さじ⅙

作り方

1 フライパンにバターを溶かし、小麦粉を加えて中火で炒める。

2 牛乳を加え、混ぜながら中火にかけ、とろみがついたら火を止める。

3 こし器でこしてなめらかにする。

作り方

1 フライパンにオリーブ油を熱し、玉ねぎを入れて中火で炒める。

2 全体にオリーブ油がまわったら、トマト、分量の水、砂糖を加え、弱めの中火で7〜8分煮る。

3 とろとろに煮えたら、塩を加えて混ぜ合わせる。

ホワイトソース＆トマトソースの保存は冷凍がおすすめ！

ホワイトソース、トマトソースは大さじ1（15㎖）ずつ製氷皿に入れて冷凍する。冷凍後は、取り出して冷凍用保存袋に入れ替えよう。

Part1 離乳食の進め方とフリージングの基本

赤ちゃんの月齢や発達に合わせた進め方や、栄養バランスのことなど、
離乳食の基本を丁寧に解説します。
また、おいしくて衛生的な冷凍保存のテクニック、
食材ごとの下ごしらえの方法についてもくわしくまとめました。

離乳食の大まかな流れを知りましょう！

離乳食の進め方

おっぱい・ミルクだけを飲んでいた赤ちゃんが1年近くかけて、食事を食べることを練習する期間です。あせらず、赤ちゃんのペースに合わせて。

ゴックン期（5〜6カ月ごろ）

離乳食1〜2回 ＋ おっぱいミルク5〜6回

おっぱい・ミルクとのバランス

授乳タイムのうち、1回を離乳食タイムにします。離乳食開始から1カ月ほど経ち、赤ちゃんが食事に慣れて食欲があるようなら2回食に進みます。

スタートの合図

- □ 赤ちゃんが大人の食べるようすをじっと見る
- □ 口をモグモグと動かす
- □ 食べものに手をのばすしぐさをする
- □ おっぱい・ミルクをしっかり飲んでも次の授乳までにお腹が空いてくる

1回の食事量の目安と食材のかたさ・大きさの目安

たんぱく質源	ビタミン・ミネラル源	エネルギー源
豆腐 小さじ½〜小さじ4 魚 小さじ½〜小さじ2	野菜 小さじ1〜小さじ5	穀類（10倍がゆ）小さじ1〜大さじ2

たんぱく質源食品は野菜に慣れてから、ごく少量からスタート。たんぱく質源食品の1食分の目安量はどちらか1食品を選んだ場合です

前半
 豆腐
 にんじん
 10倍がゆ

後半

ゴックンとしたらそのまま飲み込めるようなポタージュ状からスタートし、ヨーグルトのようなベタベタ状に。

モグモグ期（7〜8カ月ごろ）

離乳食2回 ＋ おっぱいミルク5〜6回

離乳食は1日2回に。授乳タイムから1時間以上あけて、午前1回と午後1回、離乳食をあげましょう。1日の栄養の3分の1を離乳食からとるようにします。

- □ ヨーグルトのようなベタベタ状のものが食べられている
- □ 口を閉じて、ゴックンと食べものを飲み込めている
- □ 1回にごはんと野菜を合わせて食べている
- □ 離乳食を1日1〜2回、喜んで食べている

たんぱく質源	ビタミン・ミネラル源	エネルギー源
豆腐 20〜30g 肉 10〜15g 魚 10〜15g 乳製品 50〜70g 卵 卵黄1個、全卵⅓個	野菜 15〜20g	穀類（7倍がゆ）40〜80g

たんぱく質源の1食分の目安はどれか1食品を選んだ場合です

前半
 豆腐
 にんじん
 7倍がゆ

後半

大人の指で軽くつぶせる豆腐くらいのかたさが目安です。野菜はやわらかなみじん切りにしましょう。

※スタートの合図は、☑3つ以上当てはまったら、はじめましょう。

離乳食は、赤ちゃんの月齢とようすに合わせて進めましょう！

赤ちゃんが生後5〜6カ月ごろになったら離乳食をはじめます。首がすわって支えがあれば座れるようであれば、食べものを受け入れる準備がととのっています。離乳食は、ゴックン期、モグモグ期、カミカミ期、パクパク期の4ステップ。月齢だけではなく、赤ちゃんのようすを見て進めます。ときには、あと戻りしても大丈夫。ゆっくりと赤ちゃんのペースで進めましょう。

この本では、離乳食の進め方を4つのステップに分けています

離乳食の時期別名称	月齢の目安
ゴックン期	5〜6カ月ごろ
モグモグ期	7〜8カ月ごろ
カミカミ期	9〜11カ月ごろ
パクパク期	1歳〜1歳6カ月ごろ

パクパク期（1歳〜1歳6カ月ごろ）

おっぱい・ミルクとのバランス

離乳食3回 ＋ 牛乳1〜2回 ＋ おやつ1〜2回

朝昼夜・1日3回、規則正しく食事しましょう。おっぱい・ミルクをほしがるときは飲ませてOK！ただし、体重が増えていなければ卒乳を。

スタートの合図

- □ 1日3回・朝昼夜にしっかり離乳食を食べている
- □ バナナくらいのかたさのものもかんで食べようとする
- □ 手づかみ食べをよくする。スプーン、フォークをにぎりたがる
- □ 離乳食後のおっぱい・ミルクを飲まなくなる

1回の食事量の目安と食材のかたさ・大きさの目安

たんぱく質源	ビタミン・ミネラル源	エネルギー源
豆腐 50〜55g 肉 15〜20g 魚 15〜20g 乳製品 100g 卵 全卵½〜⅔個	野菜 40〜50g	穀類（軟飯）80〜90g

たんぱく質源の1食分の目安量はどれか1食品を選んだ場合です

	豆腐	にんじん	軟飯
前半			
後半			

大人の指で軽く押したときにつぶれるバナナのかたさが目安です。前歯でかみ切れる平らな形なら、多少大きめでも。

カミカミ期（9〜11カ月ごろ）

おっぱい・ミルクとのバランス

離乳食3回 ＋ おっぱいミルク4〜5回

離乳食タイムは大人と同じ1日3回。離乳食後に、おっぱい・ミルクをほしがらなかったら飲まなせくてもOK。離乳食の間隔は4時間以上あけて。

スタートの合図

- □ 豆腐くらいのかたさのものを舌でつぶしてゴックンと飲み込める
- □ 口角を左右に動かすようなしぐさをする
- □ バナナくらいのかたさのものもかんで食べようとする
- □ 食べものを手でつかもうとする、自分で食べようとする

1回の食事量の目安と食材のかたさ・大きさの目安

たんぱく質源	ビタミン・ミネラル源	エネルギー源
豆腐 40〜45g 肉 15g 魚 15g 乳製品 80g 卵 全卵½個	野菜 30〜40g	穀類（5倍がゆ）70〜80g

たんぱく質源の1食分の目安量はどれか1食品を選んだ場合です

	豆腐	にんじん	5倍がゆ
前半			
後半			

大人の指で軽く押したときにつぶれるバナナのかたさが目安です。やわらかすぎるとかむ練習にならないので注意を。

※量はあくまでも目安です。赤ちゃんの食欲、成長に合わせて調整してください。ただし、たんぱく質源食品の過剰摂取は厳禁です。

グループ ①

脳や筋肉を動かす力のもとになる
エネルギー源食品

ごはん、パン、めん類、いも類に含まれる炭水化物（糖質）は、脳や筋肉、内臓を動かすエネルギー源です。赤ちゃんが吸収しやすいので、離乳食はおかゆからはじめます。

離乳食におすすめの食材

ゴックン期
消化吸収がよく、胃腸への負担が少ない10倍がゆからスタート。1カ月くらい食べ続けて慣れさせて。

米　　じゃがいも

さつまいも　バナナ

モグモグ期
おかゆは7倍がゆ。パン、うどん、そうめんも食べられる。食パンはできるだけ食品添加物の少ないものを選んで。

パン　うどん　そうめん

カミカミ期
おかゆは5倍がゆ。パスタ、ホットケーキ、蒸しパンも食べられるが、原料の小麦粉はアレルギーの心配があるので注意を。

パスタ

パクパク期
ごはんは軟飯にステップアップ。そばはアレルギーの心配があるのでNG。もちは詰まりやすいので避けて。

「そば、もち以外はOK！」

2回食から意識しましょう
離乳食の栄養バランス

栄養バランスは2回食になったら意識します。ただ、むずかしく考えなくて大丈夫。3つの栄養素のグループから食品を組み合わせるようにすればOKです。

栄養バランスはだんだん意識を

最初は栄養より、食べものに慣れることを優先して。ステップが進んでも、毎食バランスを考える必要はありません。

モグモグ期（7～8カ月ごろ）
たんぱく質のとりすぎに注意！
食べられる食材がどんどん増えます。消化吸収機能が未熟なので、たんぱく質源食品のとりすぎに注意を。

ゴックン期（5～6カ月ごろ）
食べものに慣れることが最優先！
ほとんどの栄養をおっぱい・ミルクからとっている時期。食事の栄養バランスはまだ考えなくてOKです。

パクパク期（1歳～1歳6カ月ごろ）
3つの栄養素のバランスも意識
栄養のほとんどを離乳食でとるようになるので、3つの栄養グループをバランスよくとりましょう。

カミカミ期（9～11カ月ごろ）
3つの栄養素をとりましょう
3回食になり、食べる量がグンと増えます。1～2日のうちに3つの栄養素をとることを意識して。

20

この本では、食材を栄養素ごとに色分けしています
- 🟡 …エネルギー源食品
- 🟢 …ビタミン・ミネラル源食品
- 🟠 …たんぱく質源食品

3つの栄養素

筋肉や血液をつくる
たんぱく質源食品

肉類、魚介類、卵、大豆製品などに含まれるたんぱく質は、筋肉や血液をつくる栄養素です。赤ちゃんには脂肪の少ないものから与えましょう。

離乳食におすすめの食材

ゴックン期
たんぱく質源食品のなかで消化吸収のよい豆腐がおすすめ。次にたい（白身魚）やしらすを。しらすは必ず塩抜きを。

豆腐　　たい　　しらす

モグモグ期
鶏肉はささみ、むね、ももの順にステップアップ。納豆、赤身魚（まぐろ）や卵黄、加熱すれば牛乳も大丈夫。

納豆 　　牛乳 　　まぐろ

ささみ

カミカミ期
鶏肉、牛肉、豚肉の順にステップアップを。牛肉、豚肉は赤身（脂肪の少ない部位）がおすすめ。青魚のあじ、いわしもOK！

あじ

牛肉 　　ひき肉

パクパク期
いか、たこはかみ切れるようにやわらかく調理を。脂の多いぶり、さばは少量から与えても。刺し身（生食）は絶対にダメ！

「刺し身以外はほとんどOK！」

皮膚などを強くし、体の調子を整える
ビタミン・ミネラル源食品

野菜、果物、海藻などはビタミンやミネラルを多く含みます。皮膚や粘膜を強くし、免疫力をアップします。赤ちゃんの体への負担が少ないので、積極的に取り入れても安心。

離乳食におすすめの食材

ゴックン期
ポタージュ状にでき、繊維やクセの少ない野菜であれば、なんでも大丈夫。栄養豊富な緑黄色野菜がとくにおすすめ。

にんじん　かぼちゃ 　トマト

ブロッコリー 　ほうれん草

モグモグ期
繊維の多い野菜は、繊維を取りのぞくと食べやすい。ミネラルの豊富なひじき、のりなどの海藻類もぜひ食べさせたい。

ひじき　のり

カミカミ期
繊維の豊富なきのこ、かたいごぼう、れんこんも食べられる。れんこん、ごぼうはアクをしっかり抜いてすりおろすのが◎。

ごぼう　　
　　　　きのこ 　れんこん

パクパク期
長ねぎ、パセリ、しその葉などの香味野菜も少量ならOK。にんにく、しょうがはとくに刺激が強いので、ごく少量を。

「香味野菜も少量ならOK！」

\\ 調理器具と調理方法を説明します //

離乳食調理の基本

お料理が苦手な人でも離乳食作りはかんたんです。
食材をゆでて、つぶしたり刻んだりするだけ。
むずかしいテクニックは必要ありません。

必要な調理器具

離乳食作りに必要な調理器具や道具を紹介します。
衛生面を考えて離乳食専用のものを用意すると安心。

小鍋
材料の分量が少量なので、小さめのふたつきが便利。

両手鍋
小鍋やフライパンと同じように小さいサイズのふたつきを用意。

すり鉢、すりこ木
材料の分量が少量なので、すり鉢、すりこ木も小さいサイズが重宝します。

小さいフライパン
フッ素樹脂加工の小さいサイズが便利。できたらふたつきを。

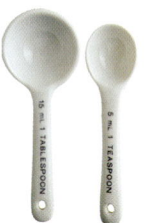
計量スプーン
計量スプーンは小さじ（5ml）と大さじ（15ml）を用意して。

おろし器
刻むよりもさらに細かくなめらかにできます。セラミック製で底にすべり止めがついたものを。

衛生面には細心の注意をはらって

細菌への抵抗力が大人よりも弱い赤ちゃん。赤ちゃんが食べやすいように、つぶす、裏ごしする、刻むなどの作業を行うと、細菌感染率は高まってしまいます。なので、調理器具や道具などはより清潔に保ち、調理中も手洗いなどを入念に行いましょう。また、冷凍した食品は、解凍時にしっかり加熱して殺菌することもたいせつです。

こし器
食材をざるに上げるほか、裏ごしにも使えます。小さめで足のないものが使い勝手がよいでしょう。

レモンしぼり器
レモンやみかんなどの果汁をしぼるときに。

あると便利！

茶こし
ほんの少しの材料をゆでたり、裏ごしたりするときに重宝します。

いちごスプーン
底が平らなので、ゆでた野菜などをつぶすときに便利。

食べやすくなる調理方法

赤ちゃんのかむ力や胃腸の消化吸収機能を考えた、食材の調理や下ごしらえが必要です。

すりおろす

大根、じゃがいも、りんごなど、ある程度かたさがある食材に向いています。包丁で切るよりも細かく、やさしい舌ざわりに仕上がります。

ゆでる

肉や魚は熱湯でゆでてアクや臭みを取ります。葉もの野菜は熱湯から、根菜は水からゆでます。離乳食ではすべて塩なしでゆでましょう。

薄皮を取る

とうもろこし、大豆、グリンピースなどの薄皮は赤ちゃんにはかたく口に残りやすいもの。消化もよくないので、ひとつずつ丁寧に取りのぞきます。

裏ごす

なめらかに仕上げたいときにおすすめ。すりおろす、つぶすよりもよりなめらかになります。食材をやわらかくゆでると裏ごししやすい。

だしでのばす

裏ごす、つぶす、すりおろすだけでは舌ざわりがよくないので、湯やだし汁を加えてなめらかに仕上げます。慣れたら徐々に水分を減らします。

湯むき

トマトの皮むき方法。へたの反対側に十字に切り込みを入れ、熱湯に入れます。切り込みから少し皮がめくれたら水にとるとかんたんにむけます。

ほぐす

魚や肉などは食べやすいように、手やフォークなどでほぐします。ほぐしながら、肉にはすじが、魚には小骨が残っていないか手で触って確認を。

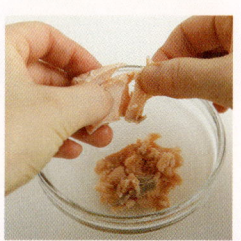

すじを取る

肉や野菜などのすじは、裏ごしたり、つぶしたりしても、残ってしまいます。舌ざわりがよくないので、取りのぞきましょう。

みじん切り

繊維を断ち切り、細かくするのはみじん切りです。モグモグ期は2～3mm大を目安に刻みましょう。粗めのみじん切りは、4～5mm大が目安です。

つぶす

すり鉢の場合
食材をやわらかくゆでてすり鉢に入れ、すりこ木を押しつけてつぶします。食材が温かいほうがやわらかくつぶしやすいです。すり鉢に食材がつくので、作りたい量よりもやや多めに準備を。

いちごスプーンの場合
食材をやわらかくゆで、いちごスプーンの底を押しつけてつぶします。フォークを使うときは、フォークの背を押しつけて。じゃがいもなどでつぶす量が多いときは、マッシャーを使っても。

角切り

かむ力が増すカミカミ期以降は、みじん切りは卒業。カミカミ期は5～7mm大、パクパク期は1cm大～を目安に切ります。

コツ 1 材料が新鮮なうちに冷凍する

買ってすぐに調理するのがベスト！

これさえ覚えれば、フリージング達人！
フリージングの基本

赤ちゃんの離乳食のフリージングには、大人よりも細心の注意が必要です。フリージングのコツを覚えて、安全でおいしい食事を作りましょう。

野菜も肉も魚も、新鮮なうちに冷凍したほうがおいしさも栄養価もキープできます。なので、調理のできるだけ直前に材料を買うことをおすすめします。調理したあとも同じこと。調理して冷ましたら、すぐに冷凍します。

コツ 2 冷凍前にしっかり冷ます

フリージング・6つのコツ

赤ちゃんは少量しか食べないので、そのつど離乳食を作るのはたいへん。赤ちゃんの食べたいタイミングを逃さないために、食材のフリージングをぜひ活用して。赤ちゃんは、細菌への抵抗力が大人よりも弱いので、細菌が繁殖しないように、次の6つのコツを守りましょう。

ゆでる、蒸す、炒めるなど加熱したら、しっかり熱をとってからラップで包んだり、保存容器に入れたりして冷凍しましょう。熱をとらないと冷凍庫内の温度があがるのはもちろん、凍った際に蒸気が霜になり、味が落ちる原因になるのです。

ごはんだけは別
炊きたてを蒸気ごと密閉してから冷まし、冷凍します。そうすると、解凍してもおいしくなります。

コツ 5 1週間で使いきる

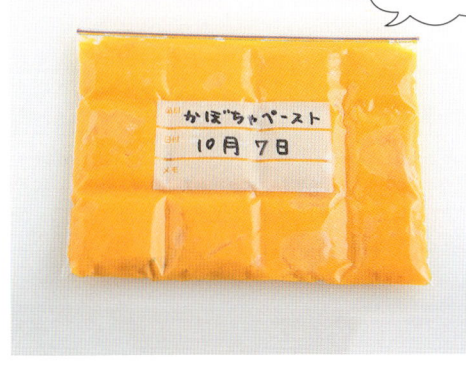

日付と食材名を書いて

冷凍保存は冷蔵よりも長持ちしますが、赤ちゃんは抵抗力が弱く、少しの細菌でもお腹をこわしてしまうもの。冷凍して1週間を目安に使いきりましょう。冷凍した日付、食材を記入しておくとよいでしょう。

コツ 3 密閉して冷凍する

冷凍して味が落ちる最大の原因は空気。食材に空気が触れると、食材が酸化、つまり劣化します。なので、冷凍用保存袋に入れたり、ラップで包んだりして冷凍するときは、できるだけ空気を抜きましょう。またラップで包んだときは、さらに冷凍保存袋に入れて必ず密閉して。

コツ 6 食べるときは必ず再加熱を

レンジで加熱して熱々に

加熱調理してから冷凍しても、冷凍中に雑菌などが繁殖することはあります。食べるときは、自然解凍は避け、電子レンジや鍋で再度加熱しましょう。

コツ 4 1回に使う量ずつ冷凍する

解凍するときのことを考え、1回に使う量に小分けして冷凍します。1回分ずつを容器に入れたり、ラップに包んだりする方法のほか、冷凍用保存袋に入れて菜箸などですじ目をつけたり、ラップで棒状に包んだりして冷凍し、1回分を折って取り出す方法もあります。

フリージング・アイテム

赤ちゃん・子どもが食べる量は少量なので、少量ずつ冷凍できるアイテムをそろえましょう。数種類そろえておくと、冷凍したい食材の量や形状に合わせて選べて便利です。保存容器は、離乳食専用にすると安心。また、使いきりタイプもおすすめです。あると便利なアイテムを紹介します。

小分け容器

離乳食の保存用に15〜100mlのいろいろなサイズの小分け容器が市販されているので、ぜひ利用を。容器はかゆや下ごしらえした野菜、汁けのあるもの、液体など、冷凍する食材を選ばないので便利です。冷凍や電子レンジで使用できるものを選びましょう。

製氷皿

だし汁、野菜スープなどの液体や、おかゆなどのドロドロしたペースト状の冷凍保存に便利。そのまま冷凍すると表面が空気に触れるので、凍ったら取り出して冷凍用保存袋に入れましょう。製氷皿は1ブロックのサイズがマチマチなので、冷凍前に容量を量っておくのを忘れずに。

冷凍したら、製氷皿から取り出して冷凍保存袋に入れて保存しましょう。

ラップ

液体でないものは何でも包めるラップ。1食分ずつ分けて冷凍しましょう。離乳食は少量なので、小さいサイズのラップを用意すると重宝します。

ラップには目には見えない空気が通るための穴があいているので、冷凍するときは、ラップで包んだものをさらに冷凍用保存袋に入れましょう。

シリコンカップ

主にお弁当用として使われるシリコンカップは、耐冷、耐熱のどちらにもすぐれていて、サイズ展開も豊富なので、フリージング離乳食にぴったり。固形物でも液体でも冷凍しやすいのが特徴です。

シリコンカップに1食分ずつ入れたら、密閉できる保存容器にまとめて入れて冷凍すると楽ちん。

冷凍用保存袋

食材の形状を選ばずに保存できます。サイズがいくつかあるのでそろえておくとよいでしょう。冷凍用保存袋は空気を通しません。空気を抜いて密閉させると、酸化を防いでおいしさが持続します。

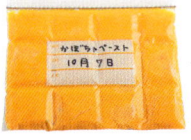
等分するすじ目をつけておくと、使うときに便利です。

> フリージングの基本

フリージングの解凍手順

冷凍してストックした食材を解凍する手順は、実は、2ステップとかんたん。食べさせる量を取り出して、電子レンジか鍋やフライパンで加熱解凍すれば、フリージング離乳食のできあがりです。

手順1 使う分を取り出す

解凍するときは、使う分量だけ取り出します。冷凍用保存袋に入れてすじ目をつけたものや、棒状にしたものなど、1食分より多い量を冷凍したものは1食分だけ折って取り出し、残りは再冷凍します。室温に放置するとすぐ解凍されてしまい、冷凍と解凍をくりかえすと劣化が進むので、すばやく取り出し、すばやく戻すのが肝心です。

手順2 冷凍のまま加熱する

自然解凍だと、水分が溶けて水っぽくなりがちです。おいしさと栄養を損なうことなく食べるには、電子レンジや鍋などで加熱して解凍するのがいちばんです。

加熱はしっかりと

冷凍中に雑菌が繁殖していることもあります。そこで、解凍するときは加熱消毒を兼ねて、しっかり加熱して熱々にしましょう。鍋などで解凍するときは、汁けをひと煮立ちさせるのが目安です。

鍋やフライパンは小さいサイズが便利！

解凍したい量が少量なので、鍋やフライパンが大きいと非効率的です。鍋やフライパンは、直径15〜20cmくらいの小さめのものが便利です。

たとえば こんなにかんたん&楽ちん♪ いもがゆの作り方

STEP 1 冷凍庫から、10倍がゆ15gとさつまいも10gを取り出す

 +  ➡

STEP 2 電子レンジで10倍がゆは40〜50秒、さつまいもは20〜30秒加熱して混ぜる

 ➡

\できあがり／

コツ 1 冷凍食材に水を足す

水けを足すとふんわり

離乳食は少量なので、電子レンジで加熱すると水分が蒸発しがちです。かゆや野菜、調理したものを解凍する際は、水分が多かったり、だし汁などを合わせたりする場合をのぞいて、水を足しましょう。水のかわりに、だし汁や野菜スープを加えてもよいでしょう。水の量は、ゴックン期が少々（小さじ 1/8〜1/10・約0.5g）、モグモグ期とカミカミ期は小さじ 1/4、パクパク期は小さじ 1/2 が目安です。

フリージング解凍・4つのコツ

冷凍してストックした食材は、解凍の仕方でおいしさが変わってしまいます。安全においしく解凍するコツがあります。次の4つのコツを覚えましょう。大人向けでは一般的な自然解凍ですが、自然解凍中は細菌が発生する可能性が高まります。赤ちゃんは細菌への抵抗力が弱いので、自然解凍は絶対にやめてください。

コツ 2 空気が抜ける道を作る

密閉した状態で電子レンジ加熱すると、中の空気が急激にあたたまってふくらみ、爆発してしまうことがあります。爆発しないように、空気の抜け道を作ってから加熱しましょう。

小分け容器のまま

小分け容器の場合は、ふたを開けたりずらしたりして電子レンジで加熱して解凍します。ふたが電子レンジ対応しているかどうか確認を忘れずに。冷凍・電子レンジOKと書いてあっても、ふただけNGの場合があります。

スープや汁ものは鍋が便利

汁けの多いものはフライパン&鍋でも！

だし汁などと合わせて汁けの多いごはんを作るときは、鍋やフライパンで加熱してもOK。汁けがない場合は、電子レンジのほうが安心です。

フリージングの基本

コツ3 ターンテーブルでは端にのせる

加熱の効率をアップ

電子レンジにターンテーブルがついている場合は、解凍したいものはターンテーブルの端にのせます。これは、加熱時に生じるマイクロ波が円形のふちに当たる性質があるから。ターンテーブルがついていない場合は、マイクロ波は庫内に反射するので、中央に置きましょう。

コツ4 加熱後は、混ぜてムラをなくす

 加熱ムラがないか、チェック！

電子レンジの機種、食材の状態により、加熱ムラはできてしまうもの。加熱後は全体を混ぜ、冷たいところがあったら10〜20秒ずつ加熱して、ふたたびよく混ぜます。全体が加熱されたらOKです。

耐熱容器に移して

OK

ふんわり落としラップ
耐熱容器に食材を移したら、ラップをかけて電子レンジで加熱します。ラップはぴっちりかけると爆発してしまうので、ふんわりとかけましょう。

NG

ぴっちりはダメ！

包んだラップごと

軽く開いて
ラップで包んだものを電子レンジで加熱する場合、耐熱容器に移す方法のほかに、ラップを少し開いて空気の抜け道を作ってから加熱する方法があります。

おすすめのラップの包み方
爆発しないように、解凍するときに空気が抜けやすいように包みましょう。

1 ラップの中央に食材をのせる。	2 上下を折る。	3 左右を折る。	できあがり！

主食

エネルギー源食品
脳や筋肉を動かす力のもとになる

脳や筋肉、内臓を動かすエネルギー源となるのは、ごはん、パン、めん類、いも類などの炭水化物です。

冷凍に向いている食材をピックアップ
食材別・下ごしらえ＆フリージング方法

離乳食におすすめの食材で、冷凍に向いているものを集めました。ステップに合わせた下ごしらえの方法を解説するので、ぜひ参考にしてください。

おかゆ・軟飯　冷凍してもおいしさそのまま！

おかゆや軟飯は少量作るよりも、1週間分くらいをまとめて作ったほうがおいしいです。おいしく冷凍するコツは、熱々のうちに小分けして密閉してから冷ますこと。冷ましてから小分けにすると、解凍したときにおいしくありません。

パクパク期 ― 軟飯

白飯と水で軟飯を作る（→p.14）。

または

1食分ずつラップで包むか、保存容器に入れて冷凍する。

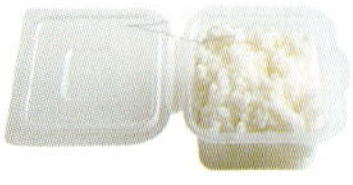

カミカミ期 ― 5倍がゆ

白飯と水で5倍がゆを作る（→p.14）。

または

1食分ずつラップで包むか、保存容器に入れて冷凍する。

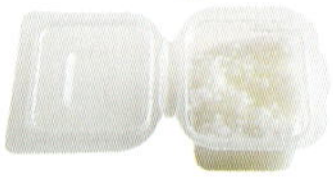

モグモグ期 ― 7倍がゆ

白飯と水で7倍がゆを作る（→p.14）。

1食分ずつ保存容器に入れて冷凍する。

ゴックン期 ― 10倍がゆ

白飯と水で10倍がゆを作る（→p.14）。

下ごしらえ

フリージング

1食分ずつ製氷皿や保存容器に入れて冷凍する。

そうめん　熱湯でやわらかくゆでましょう

塩分を意外に多く含むので、ゴックン期は避けてモグモグ期から食べさせます。指でつぶせるくらいくたくたにゆでましょう。

パクパク期

熱湯でやわらかくくたくたにゆでて、2cm長さに切る。

1食分ずつラップで包み、冷凍用保存袋に入れて冷凍する。

カミカミ期

熱湯でやわらかくくたくたにゆでて、1cm長さに切る。

1食分ずつラップで包み、冷凍用保存袋に入れて冷凍する。

モグモグ期

下ごしらえ
熱湯でやわらかくくたくたにゆでて、2mm大のみじん切りにする。

フリージング

1食分ずつラップで包み、冷凍用保存袋に入れて冷凍する。

ゴックン期

与えてはダメ！

うどん
ゆでうどんを使って時短！
ゆでうどんを使えば、冷凍前にゆでる手間がありません。
解凍時にしっかり加熱しましょう。

パクパク期	カミカミ期	モグモグ期	ゴックン期
 1〜2cm長さに切る。	 7〜8mm長さに切る。	 下ごしらえ：2mm大のみじん切りにする。	 与えてはダメ！
 1食分ずつラップで包み、冷凍用保存袋に入れて冷凍する。	 1食分ずつラップで包み、冷凍用保存袋に入れて冷凍する。	 フリージング：1食分ずつラップで包み、冷凍用保存袋に入れて冷凍する。	

食パン
食品添加物が少ないものを選んで！
食パンは冷凍も解凍も早いのでフリージングにぴったりです。

パクパク期	カミカミ期	ゴックン期／モグモグ期
 耳を切り落としてスティック状に切る。	 耳を切り落として4等分に切る。	下ごしらえ：耳を切り落として6等分に切る。
 冷凍用保存袋に入れて冷凍する。		フリージング：冷凍用保存袋に入れて冷凍する。

パスタ
芯を残さずくたくたにゆでます
パスタは直径1.4〜1.6mmくらいの太さのスパゲティか、小さめのマカロニを。

パクパク期	カミカミ期	ゴックン期／モグモグ期
 1〜2cm長さに切る。	 下ごしらえ：7〜8mm長さに切る。	 与えてはダメ！
 1食分ずつラップで包み、冷凍用保存袋に入れて冷凍する。	 フリージング：1食分ずつラップで包み、冷凍用保存袋に入れて冷凍する。	 **アドバイス** 熱湯（塩は入れない）で、袋の表示時間よりも長くゆでてくたくたに仕上げます。

じゃがいも
冷凍してもホクホクです
冷凍したいときは、角切りなどはNG。つぶせるくらいやわらかくゆでましょう。

パクパク期	カミカミ期	モグモグ期	ゴックン期
 水からやわらかくゆでて、つぶす。	 水からやわらかくゆでて、つぶす。	 水からやわらかくゆでて、つぶす。	 下ごしらえ：水からやわらかくゆでて、裏ごしする。
 1食分ずつラップで包み、冷凍用保存袋に入れて冷凍する。	1食分ずつラップで包み、冷凍用保存袋に入れて冷凍する。	1食分ずつラップで包み、冷凍用保存袋に入れて冷凍する。	フリージング：1食分ずつラップで包み、冷凍用保存袋に入れて冷凍する。

さつまいも
皮は厚めにむいて水にさらす
ゴックン期、モグモグ期はかんたんにつぶせるくらいやわらかくゆでましょう。

パクパク期	カミカミ期	モグモグ期	ゴックン期
 水からゆでて、1cm角×5cm長さのスティック状に切る。	 水からやわらかくゆでて、7mm角に切る。	 水からやわらかくゆでて、つぶすか2〜3mm大のみじん切りにする。	 下ごしらえ：水からやわらかくゆでて、裏ごしし湯でのばしてペースト状にする。
 1食分ずつラップで包み、冷凍用保存袋に入れて冷凍する。	 1食分ずつラップで包み、冷凍用保存袋に入れて冷凍する。	 1食分ずつラップで包み、冷凍用保存袋に入れて冷凍する。	 フリージング：1食分ずつラップで包み、冷凍用保存袋に入れて冷凍する。

ビタミン・ミネラル源食品

副菜

皮膚などを強くし、体の調子を整える

ビタミン、ミネラルを多く含む野菜、果物、海藻。赤ちゃんの体への負担が少ないので、積極的に食べさせて大丈夫。

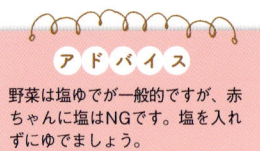

アドバイス
野菜は塩ゆでが一般的ですが、赤ちゃんに塩はNGです。塩を入れずにゆでましょう。

かぼちゃ　レンジ加熱がおすすめ！

ラップに包んで電子レンジで加熱するとやわらかくなり切りやすくなります。
ゴックン期、モグモグ期は、かんたんにつぶせるくらいに加熱を。

パクパク期	カミカミ期	モグモグ期	ゴックン期
			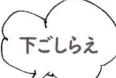
種、わたをのぞく。ラップをかけて電子レンジで加熱し、皮をむいて8〜9mm厚さに切る。	種、わたをのぞく。ラップをかけて電子レンジで加熱し、皮をむいて7mm角に切る。	種、わたをのぞく。ラップをかけて電子レンジで加熱し、皮をむいて5〜6mm角に切る。	種、わたをのぞく。ラップをかけて電子レンジで加熱し、皮をむいてつぶし、湯でのばしてペースト状にする。
↓	↓	↓	↓

1食分ずつラップで包み、冷凍用保存袋に入れて冷凍する。	1食分ずつラップで包み、冷凍用保存袋に入れて冷凍する。	1食分ずつラップで包み、冷凍用保存袋に入れて冷凍する。	1食分ずつラップで包み、冷凍用保存袋に入れて冷凍する。

 下ごしらえ

フリージング

にんじん　根菜は水からゆでましょう

ゆでるときに小さく切りすぎるとおいしさが出てしまうので、
1〜2cmの輪切りに切りましょう。ゴックン期、モグモグ期はつぶせるくらいにやわらかくゆでます。

パクパク期	カミカミ期	モグモグ期	ゴックン期

皮をむいて水からやわらかくゆでて、8mm〜1cm角に切る。	皮をむいて水からやわらかくゆでて、5〜7mm大の粗めのみじん切りにする。	皮をむいて水からやわらかくゆでて、2〜4mm大のみじん切りにするか、粗くつぶす	皮をむいて水からやわらかくゆでてすりつぶし、湯でのばしてペースト状にする。

下ごしらえ

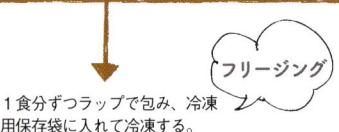

フリージング
1食分ずつラップで包み、冷凍用保存袋に入れて冷凍する。

32

食材別・下ごしらえ&フリージング方法

ほうれん草・小松菜
しっかりゆでてアクを抜きましょう

繊維を断ち切って

葉もの野菜の茎はかたいので、はじめは葉先のみを食べさせます。カミカミ期以降は茎もやわらかくゆでれば大丈夫です。

パクパク期

熱湯でやわらかくゆでて水にさらす。水けをきって1cm大に切る。

ラップで1本の棒状に包む。冷凍用保存袋に入れて冷凍する。

カミカミ期

熱湯でやわらかくゆでて水にさらす。水けをきって4〜5mm大の粗めのみじん切りにする。

ラップで1本の棒状に包む。冷凍用保存袋に入れて冷凍する。

モグモグ期

葉先を熱湯でやわらかくゆでて水にさらす。水けをきって粗くすりつぶすか2〜3mm大のみじん切りにする。

ラップで1本の棒状に包む。冷凍用保存袋に入れて冷凍する。

ゴックン期

葉先を熱湯でやわらかくゆでて水にさらす。水けをきってすりつぶし、湯でのばしてペースト状にする。 【下ごしらえ】

ラップで1本の棒状に包む。冷凍用保存袋に入れて冷凍する。 【フリージング】

キャベツ・白菜
かたい芯はのぞいて!

芯と葉脈はのぞき、赤ちゃんには葉のみを。ゴックン期、モグモグ期はくたくたにゆでます。

パクパク期

熱湯でやわらかくゆでる。水けをきって1cm大に切る。

カミカミ期

熱湯でやわらかくゆでる。水けをきって4〜5mm大の粗めのみじん切りにする。

モグモグ期

熱湯でやわらかくゆでる。水けをきって2〜3mm大のみじん切りにする。

1食分ずつラップで包み、冷凍用保存袋に入れて冷凍する。

ゴックン期

熱湯でやわらかくゆでる。水けをきってすりつぶし、湯でのばしてペースト状にする。 【下ごしらえ】

1食分ずつ保存容器に入れて冷凍する。 【フリージング】

トマト
皮と種はのぞきます!
皮は熱湯で湯むきしてのぞき(→p.23)、種は取りのぞきましょう。

パクパク期

熱湯で湯むきして種をのぞいて8mm〜1cm角に切る。

1食分ずつ保存容器に入れて冷凍する。

カミカミ期

熱湯で湯むきして種をのぞいて5mm角に切る。

1食分ずつ保存容器に入れて冷凍する。

モグモグ期

熱湯で湯むきして種をのぞいて粗くすりつぶすか、2〜3mm大のみじん切りにする

1食分ずつ保存容器に入れて冷凍する。

ゴックン期

熱湯で湯むきして種をのぞいてすりつぶす。 【下ごしらえ】

1食分ずつ保存容器に入れて冷凍する。 【フリージング】

ブロッコリー
4cmくらいの小房に分けて
ゴックン期、モグモグ期はくたくたに、カミカミ期以降はやわらかめに。

パクパク期

小房を熱湯でやわらかくゆでて、2〜3cm大に切る。

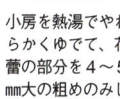
ラップで1本の棒状に包み、冷凍用保存袋に入れて冷凍する。

カミカミ期

小房を熱湯でやわらかくゆでて、1〜1.5cm大に切る。

ラップで1本の棒状に包み、冷凍用保存袋に入れて冷凍する。

モグモグ期
小房を熱湯でやわらかくゆでて、花蕾の部分を4〜5mm大の粗めのみじん切りにする。

ラップで1本の棒状に包み、冷凍用保存袋に入れて冷凍する。

ゴックン期

小房を熱湯でやわらかくゆでて、花蕾の部分をすりつぶし、湯でのばしてペースト状にする。 【下ごしらえ】

ラップで1本の棒状に包み、冷凍用保存袋に入れて冷凍する。 【フリージング】

> **アドバイス**
> 魚はゴックン期にはたい、ひらめ、かれいなどの白身魚なら食べてもOK。詳しくは、時期別・食べてよいもの＆いけないものリスト（→p.7）を確認してください。

副菜

筋肉や血液をつくる たんぱく質源食品

筋肉や血液をつくるたんぱく質が豊富な肉類、魚介類、卵、大豆製品。脂肪の少ないものから与えるのが鉄則です。

魚 　必ず火を通してから

刺し身、切り身ともに、しっかり火を通してから与えましょう。

＜刺し身＞ 　中まで火を通します。

パクパク期	カミカミ期	モグモグ期	ゴックン期

熱湯でやわらかくゆでて、2cm大にほぐす。	熱湯でやわらかくゆでて、1cm大にほぐす。	熱湯でやわらかくゆでて、細かくほぐす。	熱湯でやわらかくゆでて、すりつぶして湯でのばす。（下ごしらえ）
↓	↓	↓	↓ （フリージング）
			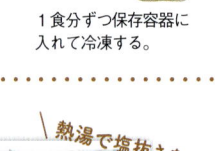
1食分ずつ保存容器に入れて冷凍する。	1食分ずつ保存容器に入れて冷凍する。	1食分ずつ保存容器に入れて冷凍する。	1食分ずつ保存容器に入れて冷凍する。

＜切り身＞ 　皮と骨は丁寧にのぞいて。

\皮を取る/

\骨を取る/

カミカミ期　ゴックン期　パクパク期　モグモグ期

下ごしらえと冷凍の方法は、魚〈刺し身〉に同じです。

しらす

\熱湯で塩抜きを/

ゴックン期からOK！

塩分が含まれているので、ざるに入れて熱湯をかけて塩を抜きましょう。

パクパク期	カミカミ期	モグモグ期	ゴックン期

ざるに入れて熱湯をかけ、粗熱をとって粗めのみじん切りにする。	ざるに入れて熱湯をかけ、粗熱をとってみじん切りにする。	ざるに入れて熱湯をかけ、粗熱をとって粗くすりつぶす。	ざるに入れて熱湯をかけ、粗熱をとってすりつぶす。（下ごしらえ）
↓	↓	↓	↓ （フリージング）

1食分ずつ保存容器に入れて冷凍する。	1食分ずつ保存容器に入れて冷凍する。	1食分ずつ保存容器に入れて冷凍する。	1食分ずつ保存容器に入れて冷凍する。

納豆

\熱湯で殺菌/

熱湯をかけて殺菌を

冷凍するときは食べやすい大きさに刻みましょう。

カミカミ期 パクパク期	モグモグ期	ゴックン期
	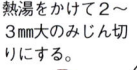	
熱湯をかけて4〜5mm大の粗めのみじん切りにする。	熱湯をかけて2〜3mm大のみじん切りにする。（下ごしらえ）	与えてはダメ！
↓	↓ （フリージング）	

1食分ずつ保存容器に入れて冷凍する。	1食分ずつ保存容器に入れて冷凍する。	

食材別・下ごしらえ&フリージング方法

鶏肉

ゆで鶏を作りおきすると便利!
鶏肉はゆでてすじや皮、脂肪をのぞきましょう。
部位によって脂肪分が異なるので、脂肪の少ないささみ、
鶏むね肉、鶏もも肉の順に食べさせます。

\すじをのぞく/

アドバイス
ゆで鶏は、ゆでたあと
ゆで汁につけたまま冷
ますとやわらかくしっと
りと仕上がります。

<ささみ>
鶏肉のなかでも脂肪が少ないので、
赤ちゃんがはじめて食べるお肉に最適。

パクパク期	カミカミ期	モグモグ期	ゴックン期
熱湯でゆでてすじをのぞき、1cm大にほぐす。	熱湯でゆでてすじをのぞき、5mm大にほぐす。	【下ごしらえ】熱湯でゆでてすじをのぞき、細かく刻む。	与えてはダメ!
1食分ずつラップで包み、冷凍用保存袋に入れて冷凍する。	1食分ずつラップで包み、冷凍用保存袋に入れて冷凍する。	【フリージング】ラップで1本の棒状に包み、冷凍用保存袋に入れて冷凍する。	

<むね肉・もも肉>

モグモグ期以降、
ささみに慣れてから
むね肉、もも肉の順に
食べさせましょう。
ゆでる前に、皮と
脂肪を取りのぞきます。

\脂肪を取りのぞく/　\皮を取りのぞく/

パクパク期	カミカミ期	モグモグ期	ゴックン期
皮や脂肪をのぞいて熱湯でゆでて、1cm大にほぐす。	皮や脂肪をのぞいて熱湯でゆでて、5mm大にほぐす。	【下ごしらえ】皮や脂肪をのぞいて熱湯でゆでて、細かく刻む。	与えてはダメ!

【フリージング】ラップで1本の棒状に包むか、1食分ずつラップで包み、冷凍用保存袋に入れて冷凍する。
※下ごしらえ、フリージングの形状はささみの写真を参照。

牛薄切り肉・豚薄切り肉

鶏肉に慣れてから
牛肉、豚肉ともに部位により脂肪分が異なります。
離乳食では脂肪分が少ない赤身(ヒレ、もも)を与えましょう。

パクパク期	カミカミ期	ゴックン期／モグモグ期
熱湯に入れてゆでて、ざるに広げて水けをきる。1～2cm大に切る。	【下ごしらえ】熱湯に入れてゆでて、ざるに広げて水けをきる。1cm大に切る。	与えてはダメ!
1食分ずつラップで包み、冷凍用保存袋に入れて冷凍する。	【フリージング】1食分ずつラップで包み、冷凍用保存袋に入れて冷凍する。	

アドバイス
カミカミ期以降、
鶏肉に慣れてから
牛肉、豚肉の順に。

ひき肉

\ひき肉をほぐす/

鶏むね肉がおすすめ!
カミカミ期以降に。ひき肉はやわらかいので赤ちゃんも食べやすい食材。肉によって脂肪分が異なり、鶏むね肉がもっとも低脂肪です。下ごしらえ、冷凍の方法はどのひき肉でも同じです。

カミカミ期／パクパク期	ゴックン期／モグモグ期
【下ごしらえ】熱湯に入れて菜箸で混ぜてほぐしながらゆで、水けをきる。	与えてはダメ!
【フリージング】ラップで1本の棒状に包む。冷凍用保存袋に入れて冷凍する。	

アドバイス
はじめは鶏むね肉のひき肉から。鶏むね肉、鶏もも肉に慣れたら、牛肉、合いびき、豚肉の順に食べさせましょう。

Column 1
川口先生に聞く！ 離乳食Q&A

離乳食をはじめるとさまざまな悩みや疑問が出てきます。
管理栄養士の川口由美子先生に教えていただきました。

モグモグ期（8カ月）

ミルクが好きで、
離乳食をあまり食べません。
どうしたら食べてくれますか？

離乳食とミルクの間隔があいていない可能性がありますね。お腹が空いているときに離乳食をあげるのがベストです。離乳食のあとにミルクで補うようにできたらよいですね。ただ、お腹が空いて泣いている赤ちゃんをおいて、離乳食を作るのはなかなか大変です。そこでフリージング食材が活躍します。さっと作れると、赤ちゃんのタイミングに合わせてすぐに出せます。また、お昼寝とごはんの時間などが少しずつ読めてくると思うので、赤ちゃんの食べやすい時間を見極めるとよいでしょう。

ゴックン期（5カ月）

離乳食を嫌がります。
どうしたらよいのでしょうか？

今まで母乳やミルクしか飲んでいないわけですから、なかなか最初からすんなりとはいきません。最初はひとくち食べてみて、それでも知らない味はべーっと出してしまいます。嫌がるのが当たり前、くらいの気持ちの余裕を。ただ、赤ちゃんがなぜ嫌がるのか、ちょっと気になることはないか、考えてみるのもよいかもしれません。味だけではなく、スプーンの舌ざわりや、食べものの温度などが原因の場合も。

全期共通

食後に必ず水やお茶を
飲ませたほうがいい？

ゴックン期 まだ離乳食といってもスプーンで何杯という程度なので、特に水などは必要ないかもしれませんが、用意しておくとむせたりしそうなときにはよいでしょう。

モグモグ期以降 赤ちゃんの歯を守るためにも、離乳食のあとには水や麦茶（カフェインのはいっていないお茶）を飲むとよいでしょう。ごはんが詰まったりするときにも役立ちます。「必ず」ではありませんが、準備しておくとよいでしょう。

カミカミ期（9カ月）

朝忙しくて離乳食を食べさせられません。
ミルクだけではダメでしょうか？

カミカミ期は、ごはんという栄養はもちろんですが、生活のリズムをととのえることがたいせつな時期です。わたしたちが3食を食べて暮らしているように、3食のリズムをつけていきたいもの。朝は何かと忙しいですよね。だからこそ、冷凍ストックを作っておいたり、ときには市販のベビーフードを使ったりしてもよいでしょう。赤ちゃんの食欲がなくて食べられない場合は、もう少し朝の起床時刻を早めにしてみましょう。朝ごはんが食べられるようになることがあります。

モグモグ期（7カ月）

ごはんなどの主食は大好きですが、
野菜が苦手なのか出してしまいます。

野菜は、かみ切りにくかったり、苦かったりするので、苦手な赤ちゃんは多いです。とくに葉っぱものはそういう傾向にあります。そんなときに試してほしいのは、まずとろみをつけること。また、かぼちゃやじゃがいも、にんじんなどのつぶしたものに混ぜると舌ざわりがなめらかになって食べやすくなります。ごはんに混ぜてもよいでしょう。

パクパク期（1歳）

何でもよく食べます。食べさせては
絶対にダメなものはあるのでしょうか？

添加物の多いもの、塩分の強いものは避けましょう。またカフェインを含む飲みもの（コーヒー・紅茶・緑茶など）はNGです。塩分の強いものを与え続けると、その味に慣れてしまいますので、なるべく素材の味に少しだけ味がついている程度のものを食べさせましょう。味が濃いとよく食べてくれることがあるので、ついあげてしまいがちですが気をつけて。またコンビニエンスストアで売っているようなものは、大変便利ですが、反面、添加物に注意。なるべく目に見える食材を使ったもののほうが、赤ちゃんには安心です。

パクパク期（1歳5カ月）
外食のときに、薄味のものであれば大人と同じものを食べさせても構いませんか？

基本的には薄味であれば大丈夫です。たとえば、おみそ汁は、みそ汁の塩分に気をつけて上澄みに近いところを取り分けるなどすれば、問題なく食べることができます。ただ、生ものや香味野菜、練りものなどは避けましょう。

全期共通
玄米や雑穀米、全粒粉パンなどは食べさせてもよいもの？

玄米や全粒粉のものは、消化機能が未発達なうちは食べさせないようにしたいもの。成人の健康には、玄米や全粒粉はぜひとりたいものですが、赤ちゃんには繊維が多すぎます。どうしてもあげたい場合は、カミカミ期くらいから、おかゆに玄米少量を混ぜたものを与える程度であれば構わないでしょう。

全期共通
本に書いてある量では満足しません。食べたいだけ食べさせてもいい？

なかなか正確に量を量るのは、現実では難しいことです。規定量はあくまで目安です。ただし、たんぱく質については、あまり多く食べすぎると、赤ちゃんの胃腸の負担になってしまうことも。野菜などは多くても構いませんが、たんぱく質の量はときどき振り返り、多すぎないか考えてみてください。

ゴックン期（6カ月半）
離乳食をはじめるタイミングがわからず、もうすぐ6カ月の半ばに…。

全く構いません。ママと赤ちゃんのペースがありますから、今からでも遅くはありません。お腹の調子や機嫌のよいときからはじめましょう。ママがおいしそうに食べているのを見たら、赤ちゃんもほしくなるかもしれません。焦らなくてもよいので、タイミングのよいときにスタートを。

パクパク期（1歳4カ月）
標準よりも太めです。ダイエットさせたほうがよいのでしょうか？

赤ちゃんにダイエットの必要はありません。著しく急激に太ったり、呼吸が苦しそうなどの変化があったりする場合は、病院で受診しましょう。標準より太めという程度であれば、まず問題ありません。歩きはじめて、これからどんどん動く時期です。一緒に外にお出かけし、公園や遊び場などで楽しいものをいっぱい発見しましょう。運動しているうちに自然と体がひきしまります。食事の制限はしないようにしてください。

モグモグ期（7カ月半）
2回食を作るのが大変。同じメニューではいけませんか？

赤ちゃんのお世話は離乳食だけではないので、大変ですよね。とてもよくわかります。同じメニューでもよいでしょう。そのほうが早くストックもなくなるので次の新鮮なものも作れます。ただ、もし余裕がある日があれば、慣れた味に単品のフリージング食材を少しプラスしたりして変化をつけると、ママも赤ちゃんの好みなどが把握しやすくなるので、よいですね。

カミカミ期（11カ月）
母乳が大好きで卒乳できません…。断乳したほうがよいのでしょうか？

卒乳は急ぐ必要はありません。2歳ごろをめどにタイミングをみて、行っていくとよいでしょう。離乳食が進み、ごはんの楽しさやおいしさがわかることはとても大切です。周囲の人が「おいしいね」と笑顔で食卓を囲むことで、食の意欲も増します。その時間を大切にしていくと、少しずつ母乳を求める時間も減るかもしれません。1歳6カ月をすぎたら、寝るときだけにするなどルールを決めて、ゆっくり卒乳していきましょう。

4カ月
標準よりも体が大きいです。離乳食をはじめてもよいのでしょうか。

体が大きくても、胃腸などの消化器官が成長しているとは限りません。目安としては首がすわってきたころと言われており、だいたいそれが5～6カ月ごろとされています。何かごはんをあげたくなる気持ちはわかりますが、その場合は白湯（湯を冷ましたもの）をスプーンであげてみるなどして、ママと赤ちゃんの気持ちを満たしてあげるだけで十分。離乳食スタートはもう少し待ちましょう。

Column 2
覚えておきたい とろみづけの方法

パサつきがちな食材も、かたくり粉でとろみをつければ食べやすくなります。
上手にとろみをつける方法を知りましょう。

1 使う直前によく混ぜる

水とかたくり粉同量を粉っぽさがなくなるまでよく混ぜます。
＊水のかわりに、常温のだし汁や野菜スープと混ぜてもOK。

2 食材に回しかける

混ざり合っているうちに、1を食材に回しかけます。ラップをふんわりとかけて電子レンジで加熱します。
＊加熱方法が電子レンジではない場合は、調理中の離乳食を十分に加熱して沸騰させてから火を止め、水溶きかたくり粉を少しずつ加えます。

3 混ぜる

加熱後すぐに取り出し、全体を混ぜます。加熱後に放置するとダマになってしまうので、加熱したらすぐに取り出して混ぜましょう。

できあがり！

のどごしUP！

水溶きかたくり粉でとろみをつけて食べやすく！

赤ちゃんが離乳食を食べてくれない……その理由のひとつは、食材の食感です。"パサパサ""モサモサ"など、のどごしがよくない食材は食べにくいもの。パサつきがちな魚や肉、モサモサするじゃがいもやかぼちゃ、繊維の多い野菜などには、とろみをつけると食べやすくなります。とろみをつける方法はいろいろありますが、赤ちゃんにはかたくり粉が安心です。ぜひ利用してください。

かたくり粉とは

かたくり粉は元々はかたくりというユリ科の植物のデンプンから作られましたが、現在はいも類のデンプンを使っているものが主流です。アレルギーの心配がなく、安心です。ゴックン期から使って構いません。

かたくり粉の使い方

水で溶いたかたくり粉（以下、水溶きかたくり粉）を食材に混ぜて加熱するだけで、とろみがかんたんにつきます。水の割合を多くすると、とろみが薄くなります。水の量の目安は、かたくり粉と同量。水溶きかたくり粉は、ダマになりやすいので、水とかたくり粉をよく混ぜてから加えましょう。また、十分に加熱しないととろみがつかないので注意を。加熱したらふたたびよく混ぜましょう。
＊かたくり粉は商品によってとろみのつき加減が異なるので、まずは少量から試し、必要に応じて水の割合を加減しましょう。
＊とろみは強すぎても、かえって飲み込みづらくなります。とろみ加減は、市販のベビーフードを参考にするとよいでしょう。

Part 2

フリージング離乳食のレシピ

- **ゴックン期**（5〜6カ月ごろ） …………… p.40〜
- **モグモグ期**（7〜8カ月ごろ） …………… p.52〜
- **カミカミ期**（9〜11カ月ごろ） …………… p.72〜
- **パクパク期**（1歳〜1歳6カ月ごろ） ……… p.90〜

離乳食は少量なので、そのつどいちから作るよりも、
1週間分をまとめて作ったほうが楽ちん。
1週間分のストック食材と、ストック食材を使った
月曜日から日曜日までの7食分のレシピをご提案します。

ゴックン期
（5〜6カ月ごろ）

食べものに興味が出たら まずは小さじ1から 離乳食をスタート！

ゴックン期は、離乳食タイムは1日1〜2回。離乳食開始から1カ月ほど経ち、赤ちゃんが食事に慣れて食欲があるなら2回食に進みます。

赤ちゃんのタイムスケジュール

例）
- 6:00　おっぱい・ミルク
- 10:00　離乳食＋おっぱい・ミルク　1回目
- 14:00　おっぱい・ミルク
- 18:00　おっぱい・ミルク または、離乳食＋おっぱい・ミルク　2回目
- 20:00　おっぱい・ミルク

- はじめは、1日の授乳タイムのうち1回を離乳食タイムにします（赤ちゃんのごきげんがよい午前中がおすすめ）
- 離乳食は早朝や深夜の時間帯は避けましょう
- 離乳食を食べたあとは、飲みたいだけおっぱい・ミルクを飲ませます
- 赤ちゃんが食べ慣れてきたら2回食に。授乳タイムのうち2回を離乳食タイムにします
- 2回食になったら、離乳食と離乳食の間隔は4時間以上あけます

座り方

抱っこして食べさせます

お座りは不安定なので、はじめはママのひざに抱っこを。抱っこだと安定感がよく、赤ちゃんが安心します。赤ちゃんが飲み込みやすいように、上半身は少し傾けてママに寄りかからせて。

ゴックン

かたさの目安はポタージュ状
今までおっぱい・ミルク（液体）のみを飲んでいたので、まだ飲み込むのがうまくありません。はじめは飲み込みやすいように、ポタージュのようなとろとろ状にしましょう。慣れてきたら、ヨーグルトのようなベタベタ状にステップアップを。

スプーンで下唇にちょんと触れて
スプーンの先で赤ちゃんの下唇にやさしく触れると、口を開けます。赤ちゃんが自分で食べものを取り込むのを待ってから、水平にそっとスプーンを抜きます。ゴックンと飲めたら、次のひとさじを。口からこぼれたら、すくって口に入れましょう。

はじめは小さじ1から
初期は食べものをゴックンと飲み込む練習期間。アレルギーがないかを見極めるため、はじめての食材は小さじ1が目安です。大丈夫そうであれば、小さじ1ずつ増やして。味に慣れさせたいので、毎日ちがう食材にする必要はありません。

食べたい気持ちが見えたらスタート
赤ちゃんが大人の食べるようすをじっと見る、口をモグモグと動かす、食べものに手をのばすなどのしぐさをするのは、ごはんを食べたい気持ちの現れ。生活リズムが安定し、授乳が4時間くらいの間隔になってくるのも、離乳食開始のタイミングです。

次のステップ（モグモグ期）に進む目安
赤ちゃんの状態をチェック！

- ☑ ベタベタ状の離乳食をゴックンと飲み込むことができている
- ☑ 1回にごはんと野菜を食べている
- ☑ 離乳食を1日1〜2回、喜んで食べている

> 実物大

1食分の量とかたさの目安

食べる量よりも、きちんと飲み込めているかが大事です。
栄養もまだ気にしなくてOK。あせらずゆっくり進めます。

ゴックン期

後半

ビタミン・ミネラル源
にんじん 裏ごし
皮をむいてやわらかくゆでたにんじんをすりつぶし、湯でのばしてベタベタ状にする。野菜の量は小さじ1〜5が目安。

たんぱく質源
豆腐 すり流し
絹ごし豆腐をさっと湯に通してからすりつぶし、湯でのばしてヨーグルト状にする。量は大さじ1〜1⅓が目安。豆腐に慣れたら、白身魚にチャレンジしても。小さじ½〜2が目安。

エネルギー源
ごはん 10倍がゆ
白飯と水で10倍がゆを作る（→p.14）。赤ちゃんのようすに合わせ、食べさせる前に裏ごししたり、軽くつぶす。つぶし具合は、赤ちゃんに合わせて加減を。量は大さじ2が目安。

前半

ビタミン・ミネラル源
にんじん 裏ごし
皮をむいてやわらかくゆでたにんじんを裏ごしして湯でのばし、ポタージュ状にする。野菜の量は小さじ1からはじめ、小さじ3までが目安。

たんぱく質源
豆腐 すり流し
絹ごし豆腐をさっと湯に通してからすりつぶし、湯でのばしてポタージュ状にする。量は小さじ½からスタートし、大さじ1までが目安。豆腐に慣れたら、白身魚にチャレンジしても。小さじ½〜1が目安。

エネルギー源
ごはん 10倍がゆ
白飯と水で10倍がゆを作り（→p.14）、裏ごしする。与える量は小さじ1からスタートし、大さじ1〜2までが目安。

まずは2つの栄養素に
慣れさせましょう！

ゴックン期
（5〜6カ月ごろ）

1〜2週目

離乳食のはじめのはじめは
10倍がゆの裏ごし小さじ1杯からスタート！
1週間以上たち慣れてきたら
野菜も与えます。味に慣れさせ、
同時にアレルギーがないかを見極めるため
1つの食材について2〜3日連続で
食べさせるとよいでしょう。

Step 1

エネルギー源の

離乳食スタート

10倍がゆ小さじ1を与える

1日目 10倍がゆ

白飯と水で10倍がゆを作り（→p.14）、裏ごしします。10倍がゆは消化吸収がよいので、胃腸の消化機能が未発達な赤ちゃんにも安心です。はじめは小さじ1からスタート。赤ちゃんのごきげんがよい午前中がおすすめです。10倍がゆの量は、少しずつ増やし、2週間後くらいに大さじ1〜2が食べられるようになる目安です。食欲旺盛な赤ちゃんでも食べすぎないように注意を！

2日目
3日目
4日目
5日目
6日目
7日目
8日目
9日目

アドバイス

湯冷ましや果汁で準備しなくてOK！

以前は、おっぱい・ミルク以外の味に慣れさせるための準備として湯冷ましや果汁で練習する期間がありました。ですが、赤ちゃんが果汁を飲みすぎることがあること、練習しなくても離乳食を食べられることから、現在では必要ないとされています。赤ちゃんが5〜6カ月ごろになったら離乳食をはじめましょう。

小さじ1の大きさは
このくらい

実物大

計量スプーン小さじ1は、5mlです。
離乳食用の小さめのスプーン4〜5
さじ分です。

42

離乳食をはじめるときの注意点

調味料はまだ使いません
赤ちゃんの腎臓はまだ未発達。塩分などの調味料は、未熟な腎臓に負担となるので使ってはいけません。ゴックン期は、味つけせず、食材そのものの味に慣れさせましょう。モグモグ期になったら、調味料はごくごく少量を使っても。

たんぱく質は野菜に慣れてから
赤ちゃんの消化吸収機能はまだまだ未発達。肉や魚に含まれるたんぱく質は、とくに消化吸収に力が必要な食材です。おかゆと野菜の消化吸収に十分慣れてから、たんぱく質源食品を与えましょう。まずは豆腐や白身魚からはじめます。

生ものはしっかり加熱を!
赤ちゃんの細菌に対する抵抗力は大人より弱いもの。なので、生の食材(魚や肉だけでなく、野菜や豆腐も)についている細菌が体に入ってしまうと、食中毒をおこすことがあります。どのような食材も必ず加熱して殺菌することがたいせつです。

ゴックン期 1〜2週目

Step 2

10日目ごろ

10倍がゆ + 野菜のポタージュ状

ビタミン・ミネラル源の

10倍がゆに慣れたら
野菜のポタージュ状も与える

10倍がゆを1週間以上食べ、慣れてきたらポタージュ状の野菜に挑戦を。野菜もはじめは小さじ1からスタート。離乳食では「はじめての食材は1日1品小さじ1から」が基本です。野菜はやわらかくゆでて裏ごし、湯でのばしてポタージュ状にします。少しずつ量を増やし、1週間後くらいに大さじ1食べられるようになるのが目安です。

11日目 🥄🥄🥄🥄🥄 + 🥄
12日目 🥄🥄🥄🥄🥄 + 🥄🥄
13日目 🥄🥄🥄🥄🥄 + 🥄
14日目 🥄🥄🥄🥄🥄 + 🥄🥄

3週目から フリージングスタート!

アドバイス

ゴックン期におすすめの野菜

ゴックン期には、クセが少なくて甘みのある野菜がおすすめです。じゃがいも、さつまいもは、赤ちゃんにとってエネルギー源、ビタミン・ミネラル源のどちらにもなる栄養満点な食材です。

にんじん / かぼちゃ / かぶ / さつまいも / じゃがいも / キャベツ

おかゆや野菜のペーストの冷凍からスタート！

ゴックン期（5〜6カ月ごろ）

3〜4週目

1週間分（7食分）のストック食材

A 裏ごしするなら解凍後に 10倍がゆ
白飯½カップ、水2カップ
白飯と水で10倍がゆを作り（→p.14）、15gずつ製氷皿に入れて冷凍する。小分け容器に保存してもOK！

15〜30g×10〜20回

POINT 解凍後、赤ちゃんのようすに合わせて、裏ごししたり、軽くすりつぶす。

B 繊維も少なく食べやすい 大根
100g（2〜3cm厚さ）
皮をむいて縦半分に切り、水からやわらかくゆでる。すりつぶして湯でのばしてペースト状にし、10gずつ保存容器に入れて冷凍する。

10g×8回

C 皮は厚めにむいて！ さつまいも
100g（太め4cm厚さ）
皮を厚めにむいて水に5分ほどさらし、2〜3cm角に切る。水からやわらかくゆでる。すりつぶして湯でのばし、10gずつラップで包み、冷凍用保存袋に入れて冷凍する。

10g×8回

D やわらかい葉先のみを！ 小松菜
葉先30g（⅓株）
葉先を熱湯でやわらかくゆでて水にさらす。水けをきってすりつぶして湯でのばしてペースト状にしてからラップで1本の棒状に包む。冷凍用保存袋に入れる。*5gずつ折って使う。

5g×6回

E 湯むきして喉ごしよく トマト
90g（小1個）
へたをのぞき、熱湯で湯むきして（→p.23）種をのぞいてすりつぶす。10gずつ保存容器に入れて冷凍する。

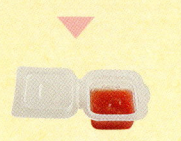

10g×8回

★★★ 月曜日 Monday

10倍がゆ

材料
Ⓐ 10倍がゆ　15〜30g

作り方
1. 10倍がゆに水少々をふり、ラップをかけて電子レンジで40秒〜1分10秒加熱する。

さつまいもペースト

材料
Ⓒ さつまいも　10g

作り方
1. さつまいもに水少々をふり、ラップをかけて電子レンジで20〜30秒加熱する。

離乳食のアドバイス
混ぜずに食べさせて！
離乳食のはじめは、食材ひとつひとつの味に慣れることがたいせつです。10倍がゆと野菜ペーストはできるだけ混ぜずに食べさせましょう。赤ちゃんが単品だと食が進まないようなら、途中から混ぜて食べさせても。

冷凍しても、おいしさそのまま

10倍がゆ

さつまいもペースト

ゴックン期 3〜4週目

火曜日 Tuesday

白とグリーンの
コントラストが
華やか

小松菜ペースト

10倍がゆ

10倍がゆ
材料
Ⓐ 10倍がゆ
15〜30g

作り方
1. 10倍がゆに水少々をふり、ラップをかけて電子レンジで40秒〜1分10秒加熱する。

小松菜ペースト
材料
Ⓓ 小松菜
5g

作り方
1. 小松菜に水少々をふり、ラップをかけて電子レンジで15〜25秒加熱する。

水曜日 Wednesday

トマトの甘さと
酸味で
食欲増進

トマトペースト

10倍がゆ

10倍がゆ
材料
Ⓐ 10倍がゆ
15〜30g

作り方
1. 10倍がゆに水少々をふり、ラップをかけて電子レンジで40秒〜1分10秒加熱する。

トマトペースト
材料
Ⓔ トマト
10g

作り方
1. トマトに水少々をふり、ラップをかけて電子レンジで20〜30秒加熱する。

10倍がゆ

材料
- Ⓐ 10倍がゆ 15〜30g

作り方
1. 10倍がゆに水少々をふり、ラップをかけて電子レンジで40秒〜1分10秒加熱する。

大根ペースト

材料
- Ⓑ 大根 10g

作り方
1. 大根に水少々をふり、ラップをかけて電子レンジで20〜30秒加熱する。

★★★ 木曜日 Thursday

やさしい味わいで食べやすい

10倍がゆ

大根ペースト

いもがゆ

材料
- Ⓐ 10倍がゆ 15〜30g ＋ Ⓒ さつまいも 10g

作り方
1. 10倍がゆに水少々をふり、ラップをかけて電子レンジで40秒〜1分10秒加熱する。
2. さつまいもに水少々をふり、ラップをかけて電子レンジで20〜30秒加熱し、1に混ぜる。

トマトペースト

材料
- Ⓔ トマト 10g

作り方
1. トマトに水少々をふり、ラップをかけて電子レンジで20〜30秒加熱する。

★★★ 金曜日 Friday

慣れてきたので、混ぜがゆを取り入れて

いもがゆ

トマトペースト

土曜日 Saturday

小松菜をのせて彩りよく!

大根と小松菜のペースト

10倍がゆ

ゴックン期 3〜4週目

10倍がゆ
材料
Ⓐ 10倍がゆ 15〜30g

作り方
1. 10倍がゆに水少々をふり、ラップをかけて電子レンジで40秒〜1分10秒加熱する。

大根と小松菜のペースト
材料
Ⓑ 大根 10g ＋ Ⓓ 小松菜 5g

作り方
1. 大根に水少々をふり、ラップをかけて電子レンジで20〜30秒加熱する。
2. 小松菜に水少々をふり、ラップをかけて電子レンジで15〜25秒加熱する。

日曜日 Sunday

10倍がゆ

湯でのばすだけでおいしいスープに

おいもと大根のポタージュ

10倍がゆ
材料
Ⓐ 10倍がゆ 15〜30g

作り方
1. 10倍がゆに水少々をふり、ラップをかけて電子レンジで40秒〜1分10秒加熱する。

おいもと大根のポタージュ
材料
Ⓒ さつまいも 10g ＋ Ⓑ 大根 10g

作り方
1. さつまいも、大根を合わせて水少々をふり、ラップをかけて電子レンジで30〜40秒加熱する。水大さじ1を加えて混ぜ、ラップをかけて電子レンジで20〜30秒加熱する。

野菜に食べ慣れたら、たんぱく質源食品にトライ！

ゴックン期
（5～6カ月ごろ）

5～6週目

1週間分(7食分)のストック食材

A 慣れたら、裏ごしなしで 10倍がゆ
白飯½カップ、水2カップ
白飯と水で10倍がゆを作り(→p.14)、15gずつ製氷皿に入れて冷凍する。小分け容器に保存してもOK！

30g×10回

POINT 解凍後、赤ちゃんのようすに合わせ、軽くつぶす。

C 多めにストックを！ だし汁
300ml
だし汁を作り(→p.15)、大さじ1ずつ製氷皿に入れて冷凍する。

大さじ1(15ml)×20回

POINT 冷凍後は、冷凍用保存袋に入れ替えよう。

E 茎はのぞいて葉先のみを！ ほうれん草
葉先15g(⅛株)
葉先を熱湯でやわらかくゆでて水にさらす。水けをきってすりつぶし、湯でのばしてペースト状にしてからラップで1本の棒状に包む。冷凍用保存袋に入れて冷凍する。*5gずつ折って使う。

5g×3回

F 甘いので食べやすい にんじん
120g(1本)
皮をむき、2cm厚さの輪切りにし、水からやわらかくゆでてすりつぶす。湯でのばしてペースト状にし、ラップにのせて包む。10等分のすじ目をつけ、冷凍用保存袋に入れて冷凍する。*10gずつ折って使う。

10g×10回

G 熱湯で塩ぬきを忘れずに しらす
50g
ざるに入れて熱湯をかけ、粗熱をとる。すりつぶしてラップにのせて包み、10等分のすじ目をつけ、冷凍用保存袋に入れて冷凍する。*5gずつ折って使う。

5g×10回

B できるだけ添加物なしを 食パン
食パン50g(8枚切り1枚)
耳を切り落とし、3gずつに切り、冷凍用保存袋に入れて冷凍する。

3g×6回

D クセが少なく人気 かぼちゃ
120g(¹⁄₁₆個)
種、わたをのぞき、2～3cm角に切る。ラップをかけて、電子レンジで2分30秒～3分30秒加熱する。皮をむいてつぶして湯でのばし、ラップにのせて包む。10等分のすじ目をつけ、冷凍用保存袋に入れて冷凍する。*10gずつ折って使う。

10g×10回

Plus 家にある食材
豆腐
赤ちゃんには、舌ざわりのなめらかな絹ごし豆腐を。

月曜日 Monday

10倍がゆ
材料
Ⓐ10倍がゆ 30g

作り方
1. 10倍がゆに水少々をふり、ラップをかけて電子レンジで1分～1分10秒加熱する。

かぼちゃと豆腐のスープ
材料
Ⓓかぼちゃ 10g ＋ Ⓒだし汁 大さじ2 ＋ 豆腐 5g

作り方
1. かぼちゃとだし汁を合わせ、ラップをかけて電子レンジで1分20秒～1分30秒加熱する。
2. 豆腐にラップをかけて電子レンジで7～8秒加熱してすりつぶし、1に混ぜる。

豆腐はすりつぶして細かくして！

10倍がゆ

かぼちゃと豆腐のスープ

火曜日 Tuesday

パンをとろとろにして食べやすく！

パンがゆ

ほうれん草のだし煮

ゴックン期 5〜6週目

パンがゆ
材料
Ⓑ食パン 3g

作り方
1. 食パンは小さくちぎって水大さじ3〜4をふり、ラップをかけて電子レンジで40〜50秒加熱する。ふやけるまでラップを外さずに蒸す。

ほうれん草のだし煮
材料
Ⓔほうれん草 5g ＋ Ⓒだし汁 大さじ1

作り方
1. ほうれん草とだし汁を合わせ、ラップをかけて電子レンジで50秒〜1分加熱する。

水曜日 Wednesday

甘みの強い2つの野菜の組み合わせ

にんじんとかぼちゃのとろとろ

豆腐がゆ

豆腐がゆ
材料
Ⓐ10倍がゆ 30g ＋ 豆腐 10g

作り方
1. 10倍がゆに水少々をふり、ラップをかけて電子レンジで1分〜1分10秒加熱する。
2. 豆腐にラップをかけて電子レンジで10〜20秒加熱してすりつぶし、1にのせる。

にんじんとかぼちゃのとろとろ
材料
Ⓕにんじん 10g ＋ Ⓓかぼちゃ 10g

作り方
1. にんじんとかぼちゃを合わせて水少々をふり、ラップをかけて電子レンジで30〜40秒加熱して混ぜる。水大さじ1を加え、ラップをかけて電子レンジでさらに10〜20秒加熱して混ぜる。

10倍がゆ

材料
- Ⓐ 10倍がゆ 30g

作り方
1. 10倍がゆに水少々をふり、ラップをかけて電子レンジで1分〜1分10秒加熱する。

ほうれん草としらすのだし煮

材料
- Ⓔ ほうれん草 5g ＋ Ⓖ しらす 5g ＋ Ⓒ だし汁 大さじ1

作り方
1. ほうれん草としらす、だし汁を合わせ、ラップをかけて電子レンジで1分〜1分10秒加熱して混ぜる。

木曜日 Thursday

10倍がゆ

だしとしらすのうまみがたっぷり

ほうれん草としらすのだし煮

しらすがゆ

材料
- Ⓐ 10倍がゆ 30g ＋ Ⓖ しらす 5g

作り方
1. 10倍がゆに水少々をふり、ラップをかけて電子レンジで1分〜1分10秒加熱する。
2. しらすにラップをかけて電子レンジで10〜20秒加熱して解凍し、1にのせる。

かぼちゃのペースト

材料
- Ⓓ かぼちゃ 10g

作り方
1. かぼちゃに水少々をふり、ラップをかけて電子レンジで20〜30秒加熱する。

金曜日 Friday

かぼちゃのシンプルな味わいを楽しむ

かぼちゃのペースト

しらすがゆ

★★★ 土曜日 Saturday

ほうれん草とにんじんは好みで混ぜても

ほうれん草とにんじんのとろとろ

10倍がゆ

ゴックン期 5〜6週目

10倍がゆ
材料
- Ⓐ 10倍がゆ 30g

作り方
1. 10倍がゆに水少々をふり、ラップをかけて電子レンジで1分〜1分10秒加熱する。

ほうれん草とにんじんのとろとろ
材料
- Ⓔ ほうれん草 5g ＋ Ⓕ にんじん 10g

作り方
1. ほうれん草に水少々をふり、ラップをかけて電子レンジで15〜25秒加熱する。
2. にんじんに水少々をふり、ラップをかけて電子レンジで20〜30秒加熱する。

★★★ 日曜日 Sunday

10倍がゆ

にんじんをだしでのばしてスープに

にんじんとしらすのスープ

10倍がゆ
材料
- Ⓐ 10倍がゆ 30g

作り方
1. 10倍がゆに水少々をふり、ラップをかけて電子レンジで1分〜1分10秒加熱する。

にんじんとしらすのスープ
材料
- Ⓕ にんじん 10g ＋ Ⓖ しらす 5g ＋ Ⓒ だし汁 大さじ2

作り方
1. にんじんとしらす、だし汁を合わせ、ラップをかけて電子レンジで1分20秒〜1分30秒加熱して混ぜる。

モグモグ期
（7〜8カ月ごろ）

食べられる食材の幅がぐんと広がります。形状もステップアップ！

モグモグ期の離乳食タイムは1日2回。午前1回と午後1回、授乳タイムの間に離乳食を食べさせましょう。

赤ちゃんのタイムスケジュール

例）
- 8:00　おっぱい・ミルク
- 10:00　離乳食＋おっぱい・ミルク　1回目
- 14:00　おっぱい・ミルク
- 18:00　離乳食＋おっぱい・ミルク　2回目
- 20:00　おっぱい・ミルク

- 授乳タイムのうち2回（午前中と午後のそれぞれ1回）を離乳食タイムにします　※ゴックン期後半にすでに2回食にしていたら、同じ時間帯に離乳食を与えましょう
- 離乳食は早朝や深夜の時間帯は避けましょう
- 離乳食を食べたあとは、飲みたいだけおっぱい・ミルクを飲ませます
- 離乳食と離乳食の間隔は4時間以上あけます
- 離乳食タイムは毎日同じ時間がベスト。空腹⇒離乳食を食べる、という流れを作ります

座り方

ベビー用のチェアに座らせて

背筋が伸びてお座りが安定してきたら、食事のときはイスに座らせましょう。ベビーチェアやラックなど安定感のよいものがおすすめ。手はテーブルの上に置いておく習慣をつけましょう。

モグモグ

かたさの目安は豆腐くらい

舌でつぶせるようなやわらかなものであれば、モグモグとつぶしてからゴックンと飲み込むことができます。大人の指で軽くつぶせる豆腐くらいのかたさが目安です。野菜はやわらかくゆでたみじん切りもOK。慣れたら、粒を徐々に大きくします。

食べものを舌でつぶせるように

自分からあーんと口を開けるようになるので、開けたら下唇にスプーンをおき、上唇を閉じたらスプーンを引きます。舌が前後、上下に動かせるようになり、やわらかい固形物などを舌で持ち上げ、上あごでつぶして食べられるようになります。

メニューにバリエーションを

1日に必要な栄養の3分の1を1日2回の離乳食でとる時期です。食べられる食材も量も増えるので、1日2回の離乳食は異なるメニューを用意して、いろいろな食材に慣れさせましょう。調味料もほんの少量であれば使えるので、味つけもスタートを。

食べられる食材がどんどん増えます

ヨーグルトのようなベタベタ状のものをゴックンと飲み込めるようになったら、たんぱく質源食品もいろいろな種類を食べられるようになります。はじめて食べさせるものは必ず小さじ1からスタートしてようすを見ましょう。

赤ちゃんの状態をチェック！

次のステップ（カミカミ期）に進む目安

- ☑ 豆腐くらいのかたさのものを舌でつぶしてゴックンと飲み込める
- ☑ 口角を左右に動かすようなしぐさをする
- ☑ バナナくらいのかたさのものもかんで食べようとする

52

実物大

1食分の量とかたさの目安

食べる量は赤ちゃんの欲しがるにまかせても大丈夫。
ただし、たんぱく質源食品のとりすぎは禁物です。

モグモグ期

―― 後半 ――

ビタミン・ミネラル源
にんじん みじん切り
皮をむいてやわらかくゆでたにんじんを3〜4mm大のみじん切りにし、だし汁で煮る。野菜の量の目安は20g（大さじ1強）。

たんぱく質源
豆腐 だし煮
絹ごし豆腐を3mm角に切り、だし汁で煮る。量の目安は30g（大さじ1 2/3くらい）。魚や肉なら15g（大さじ1強）。赤ちゃんは消化器機能が未発達なので、たんぱく質源の過剰摂取は厳禁です。

エネルギー源
ごはん 7倍がゆ
白飯と水で7倍がゆを作る（→p.14）。量の目安は60〜80g（大さじ4〜5 1/3）。ごはんのほか、パン、うどんもOK。パンがゆであればできあがり量50〜60g（大さじ3〜4）、うどんやそうめんはゆであがり40〜50g（大さじ2 1/2〜3 1/2）が目安。

―― 前半 ――

ビタミン・ミネラル源
にんじん みじん切り
皮をむいてやわらかくゆでたにんじんを2mm大のみじん切りにし、だし汁で煮る。野菜の量の目安は15〜20g（大さじ1弱〜1強）。

たんぱく質源
豆腐 だし煮
絹ごし豆腐を2mm角に切り、だし汁で煮る。量の目安は20g（大さじ1弱）。魚や肉なら10g（小さじ2〜3）。赤ちゃんは消化器機能が未発達なので、たんぱく質源の過剰摂取は厳禁です。

エネルギー源
ごはん 7倍がゆ
白飯と水で7倍がゆを作る（→p.14）。量の目安は40〜60g（大さじ2 2/3〜4）。ごはんのほか、パン、うどんもOK。パンがゆであればできあがり量約40g（大さじ2 1/2〜3）、うどんやそうめんはゆであがり約40g（大さじ2 1/2〜3）が目安。

モグモグ期（7〜8カ月ごろ） 1〜2週目

主食にうどんが初登場！
はじめは食べやすくみじん切りに

1週間分（7食分）のストック食材

A 10倍がゆからステップアップ 7倍がゆ
白飯1½カップ、水4½カップ
白飯と水で7倍がゆを作り（→p.14）、40〜50gずつ保存容器に入れて冷凍する。製氷皿で保存してもOK！

40〜50g×9〜12回

B ゆでる手間いらず うどん
ゆでうどん100g（½袋）
2mm大のみじん切りにして3等分してラップで包み、冷凍用保存袋に入れて冷凍する。

33g×3回

C うまみたっぷり！ だし汁
300mℓ
だし汁を作り（→p.15）、大さじ1ずつ製氷皿に入れて冷凍する。

大さじ1（15mℓ）×20回

POINT 冷凍後は、冷凍用保存袋に入れ替えよう。

D しっかり火を通して！ さけ
生ざけ50g（½切れ）
熱湯でさっとゆでて、骨、皮を取りのぞいて細かくほぐす。20gずつラップで棒状に包み、冷凍用保存袋に入れて冷凍する。＊10gずつほぐして使う。

10g×4回

POINT 塩ざけは塩分が多いので、赤ちゃんにはNG！

E かたい芯はのぞいて キャベツ
140g（2枚）
芯をのぞいて半分くらいの大きさにちぎる。熱湯でやわらかくゆでて水けをきり、みじん切りにする。ラップにのせて包み、8等分のすじ目をつけ、冷凍用保存袋に入れて冷凍する。＊15gずつ折って使う。

15g×8回

F 実だけ使います かぶ
70g（小1個）
茎を根元から切り落とし、皮をむいて薄切りにする。熱湯でゆでて粗くつぶす。15gずつ保存容器に入れて冷凍する。

15g×4回

POINT かぶの茎は少しかたいので、カミカミ期以降に。

G 粗めにつぶそう にんじん
140g（大1本）
皮をむき、2cm厚さの輪切りにし、水からやわらかくゆでて粗くつぶす。ラップにのせて包み、8等分のすじ目をつけ、冷凍用保存袋に入れて冷凍する。＊15gずつ折って使う。

15g×8回

Plus 家にある食材

豆腐 赤ちゃんには、舌ざわりのなめらかな絹ごし豆腐を。

プレーンヨーグルト 砂糖はまだNGなので、無糖のプレーンヨーグルトを。

牛乳 加熱すればモグモグ期はOK！ 飲むなら1歳以降に。

きなこ 大豆の粉なので、栄養満点！ 香ばしさで食欲が進む。砂糖は加えないように。

かたくり粉 とろみをつけたいときに使う。使い方はp.38参照。

にんじんがゆ

材料
Ⓐ 7倍がゆ 40〜50g ＋ Ⓖ にんじん 15g ＋ きなこ 少々

作り方
1. 7倍がゆに水小さじ¼をふり、ラップをかけて電子レンジで1分〜1分20秒加熱する。
2. にんじんに水小さじ¼をふり、ラップをかけて電子レンジで20〜30秒加熱して1に混ぜ、きなこをふる。

キャベツとさけのだし煮

材料
Ⓔ キャベツ 15g ＋ Ⓓ さけ 10g ＋ Ⓒ だし汁 大さじ1

作り方
1. キャベツとさけ、だし汁を合わせ、ラップをかけて電子レンジで1分10秒〜1分20秒加熱して混ぜる。ラップをかけて電子レンジでさらに10秒加熱する。

月曜日 Monday

きなこで香ばしさをプラス

キャベツとさけのだし煮

にんじんがゆ

火曜日
Tuesday

豆腐もレンチンして火を通して！

キャベツとにんじんのうどん

かぶの白あえ

モグモグ期 1～2週目

キャベツとにんじんのうどん
材料
- Ⓑ うどん 33g
- Ⓔ キャベツ 15g
- Ⓖ にんじん 15g
- Ⓒ だし汁 大さじ3

作り方
1. うどんとキャベツ、にんじん、だし汁を合わせ、ラップをかけて電子レンジで2分～2分30秒加熱し、混ぜる。ラップをかけて電子レンジでさらに20～30秒加熱する。

かぶの白あえ
材料
- Ⓕ かぶ 15g
- Ⓒ だし汁 大さじ1
- 豆腐 15g

作り方
1. かぶとだし汁を合わせ、ラップをかけて電子レンジで1分～1分10秒加熱する。
2. 豆腐にラップをかけて、電子レンジで10～20秒加熱してすりつぶし、1に混ぜる。

野菜はだしのうまみで和風味に

さけがゆ

水曜日
Wednesday

野菜のだし煮

さけがゆ
材料
- Ⓐ 7倍がゆ 40～50g
- Ⓓ さけ 10g

作り方
1. 7倍がゆに水小さじ¼をふり、ラップをかけて電子レンジで1分～1分20秒加熱する。
2. さけに水小さじ¼をふり、ラップをかけて電子レンジで20秒ほど加熱して1に混ぜる。

野菜のだし煮
材料
- Ⓖ にんじん 15g
- Ⓕ かぶ 15g
- Ⓒ だし汁 大さじ1

作り方
1. にんじんとかぶ、だし汁を合わせ、ラップをかけて電子レンジで1分10秒～1分20秒加熱して混ぜる。

7倍がゆ

材料
Ⓐ 7倍がゆ 40〜50g

作り方
1. 7倍がゆに水小さじ¼をふり、ラップをかけて電子レンジで1分〜1分20秒加熱する。

キャベツとかぶのミルクスープ

材料
Ⓔ キャベツ 15g ＋ Ⓕ かぶ 15g ＋ Ⓒ だし汁 大さじ2 ＋ 牛乳 大さじ1 かたくり粉 適量

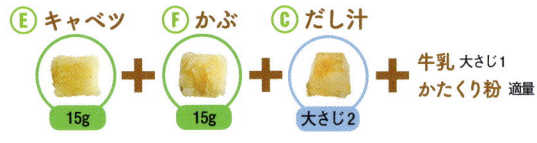

作り方
1. キャベツとかぶ、だし汁を合わせ、ラップをかけて電子レンジで1分30秒〜1分50秒加熱する。牛乳を加え、ラップをかけて電子レンジで20〜30秒加熱する。
2. 水溶きかたくり粉を加えて混ぜ、ラップをかけて電子レンジで10〜20秒加熱して混ぜる。

★★★ 木曜日 Thursday

スープも とろみがあると 飲みやすい

キャベツとかぶの ミルクスープ

7倍がゆ

豆腐がゆ

材料
Ⓐ 7倍がゆ 40〜50g ＋ 豆腐 15g

作り方
1. 7倍がゆに水小さじ¼をふり、ラップをかけて電子レンジで1分〜1分20秒加熱する。
2. 豆腐にラップをかけて、電子レンジで10〜20秒加熱してすりつぶし、1に混ぜる。

にんじんのだし煮

材料
Ⓖ にんじん 15g ＋ Ⓒ だし汁 大さじ1

作り方
1. にんじんとだし汁を合わせ、ラップをかけて電子レンジで1分〜1分10秒加熱する。

★★★ 金曜日 Friday

豆腐がゆ

にんじんに だしを合わせて のどごしUP

にんじんのだし煮

土曜日 Saturday

ストック食材で具だくさん！栄養満点

さけキャベツうどん

さけキャベツうどん
材料
Ⓑ うどん 33g ＋ Ⓓ さけ 10g ＋ Ⓔ キャベツ 15g ＋ Ⓒ だし汁 大さじ2

作り方
1. うどんとさけ、キャベツ、だし汁を合わせ、ラップをかけて電子レンジで1分50秒〜2分10秒加熱して混ぜる。ラップをかけて電子レンジでさらに10〜20秒加熱する。

きなこヨーグルト
材料
ヨーグルト 大さじ1と½
きなこ 小さじ¼

作り方
1. ヨーグルトにきなこを混ぜる。

モグモグ期 1〜2週目

日曜日 Sunday

7倍がゆ

パサつくさけは、とろみをつけて

さけとかぶのだし煮

7倍がゆ
材料
Ⓐ 7倍がゆ 40〜50g

作り方
1. 7倍がゆに水小さじ¼をふり、ラップをかけて電子レンジで1分〜1分20秒加熱する。

さけとかぶのだし煮
材料
Ⓓ さけ 10g ＋ Ⓕ かぶ 15g ＋ Ⓒ だし汁 大さじ1 ＋ かたくり粉 適量

作り方
1. さけとかぶ、だし汁を合わせ、ラップをかけて電子レンジで1分10秒〜1分20秒加熱する。
2. 水溶きかたくり粉を加えて混ぜ、ラップをかけて電子レンジで10〜20秒加熱して混ぜる。

モグモグ期（7〜8カ月ごろ） 3〜4週目

納豆やツナ缶はおいしくて使い勝手◎

1週間分（7食分）のストック食材

A 7倍がゆ
舌でつぶせるやわらかさ

白飯1½カップ、水4½カップ。白飯と水で7倍がゆを作り（→p.14）、50〜60gずつ保存容器に入れて冷凍する。製氷皿で保存してもOK！

50〜60g×8〜9回

B だし汁
離乳食の基本

300ml
だし汁を作り（→p.15）、大さじ1ずつ製氷皿に入れて冷凍する。

大さじ1（15ml）×20回

POINT 冷凍後は、冷凍用保存袋に入れ替えよう。

C トマト
酸味で食が進みます

90g（小1個）
へたをのぞき、熱湯で湯むきして（→p.23）種をのぞいてみじん切りにする。15gずつ保存容器に入れて冷凍する。

15g×5回

D さやいんげん
やわらかくゆでよう

60g（12本）
すじを取り、熱湯でやわらかくゆでてみじん切りにする。10gずつ保存容器に入れて冷凍する。

10g×5回

E ほうれん草
葉先のみを使って

葉先30g（⅓株）
葉先を熱湯でやわらかくゆでて水にさらす。水けをきってみじん切りにし、ラップで1本の棒状に包む。冷凍用保存袋に入れて冷凍する。＊10gずつ折って使う。

10g×3回

F ツナ（水煮缶）
油漬けはダメ！

20g（¼缶）
ざるに入れ、熱湯をかけて水けをきり、細かくほぐす。ラップで1本の棒状に包み、冷凍用保存袋に入れて冷凍する。＊5gずつ折って使う。

5g×4回

POINT ツナ缶には水煮と油漬けがあるので注意を！

G 玉ねぎ
ゆでて甘みを引き出す

70g（大¼個）
皮と薄皮をむいて芯をのぞき、1枚ずつはがす。熱湯でやわらかくゆでてみじん切りにする。ラップで1本の棒状に包み、冷凍用保存袋に入れて冷凍する。＊15gずつ折って使う。

15g×4回

H 納豆
ひき割りで時短！

ひき割り納豆50g（1パック）
熱湯をかけて2〜3mm大のみじん切りにする。10gずつ保存容器に入れて冷凍する。

10g×5回

POINT 冷凍せずに常備してもOK！

Plus 家にある食材

豆腐 赤ちゃんには、舌ざわりのなめらかな絹ごし豆腐を。

牛乳 加熱すればモグモグ期はOK！ 飲むなら1歳以降に。

粉チーズ 塩分、脂肪分が多いので、使うのはごく少量。

青のり 焼きのりのように手でちぎらなくてよいのがうれしい！ ミネラルが豊富。

かたくり粉 とろみをつけたいときに使う。使い方はp.38参照。

7倍がゆのリゾット風

材料
Ⓐ 7倍がゆ 50〜60g ＋ 粉チーズ 小さじ¼

作り方
1. 7倍がゆに水小さじ¼をふり、ラップをかけて電子レンジで1分20秒〜1分40秒加熱する。粉チーズをふる。

月曜日 Monday

トマトとツナのとろみあん

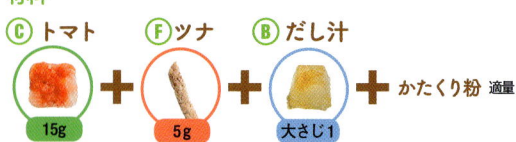

材料
Ⓒ トマト 15g ＋ Ⓕ ツナ 5g ＋ Ⓑ だし汁 大さじ1 ＋ かたくり粉 適量

作り方
1. トマトとツナ、だし汁を合わせ、ラップをかけて電子レンジで1分20秒〜1分30秒加熱する。
2. 水溶きかたくり粉を加えて混ぜ、ラップをかけて電子レンジで10〜20秒加熱する。

トマトにだしを加えてうまみをアップ

58

モグモグ期 3〜4週目

火曜日 Tuesday

玉ねぎ納豆

細かくほぐしても パサつくツナには とろみをつけて

ほうれん草と ツナのだしあえ

7倍がゆ

7倍がゆ

材料
- Ⓐ 7倍がゆ 50〜60g

作り方
1. 7倍がゆに水小さじ¼をふり、ラップをかけて電子レンジで1分20秒〜1分40秒加熱する。

玉ねぎ納豆

材料
- Ⓖ 玉ねぎ 15g ＋ Ⓗ 納豆 10g

作り方
1. 玉ねぎ、納豆を合わせて水小さじ¼をふり、ラップをかけて電子レンジで30〜40秒加熱して混ぜる。

ほうれん草とツナのだしあえ

材料
- Ⓔ ほうれん草 10g ＋ Ⓕ ツナ 5g ＋ Ⓑ だし汁 大さじ1 ＋ かたくり粉 適量

作り方
1. ほうれん草とツナ、だし汁を合わせ、ラップをかけて電子レンジで1分〜1分20秒加熱する。
2. 水溶きかたくり粉を加えて混ぜ、ラップをかけて電子レンジで10〜20秒加熱する。

水曜日 Wednesday

納豆がゆ

スープに 青のりで 風味をプラス

ほうれん草と 玉ねぎのスープ

納豆がゆ

材料
- Ⓐ 7倍がゆ 50〜60g ＋ Ⓗ 納豆 10g ＋ Ⓓ さやいんげん 10g

作り方
1. 7倍がゆ、納豆を合わせて水小さじ¼をふり、ラップをかけて電子レンジで1分40秒〜1分50秒加熱して混ぜる。
2. さやいんげんに水小さじ¼をふり、ラップをかけて電子レンジで20〜30秒加熱し、1にのせる。

ほうれん草と玉ねぎのスープ

材料
- Ⓔ ほうれん草 10g ＋ Ⓖ 玉ねぎ 15g ＋ Ⓑ だし汁 大さじ2 ＋ 青のり 小さじ¼

作り方
1. ほうれん草と玉ねぎ、だし汁を合わせ、ラップをかけて電子レンジで1分40秒〜1分50秒加熱して混ぜる。ラップをかけて電子レンジでさらに10秒加熱し、青のりを加えて混ぜる。

7倍がゆ

材料
- Ⓐ 7倍がゆ 50~60g

作り方
1. 7倍がゆに水小さじ¼をふり、ラップをかけて電子レンジで1分20秒~1分40秒加熱する。

トマトとツナのミルクスープ

材料
- Ⓒ トマト 15g ＋ Ⓕ ツナ 5g ＋ Ⓖ 玉ねぎ 15g ＋ Ⓑ だし汁 大さじ1 ＋ 牛乳 大さじ1

作り方
1. トマトとツナ、玉ねぎ、だし汁を合わせ、ラップをかけて電子レンジで1分10秒~1分30秒加熱する。
2. 牛乳を加えて混ぜ、ラップをかけて電子レンジで10~20秒加熱して混ぜる。

ミルクリゾット

材料
- Ⓐ 7倍がゆ 50~60g ＋ 牛乳 小さじ2 / 粉チーズ 小さじ¼

作り方
1. 7倍がゆに水小さじ¼をふり、ラップをかけて電子レンジで1分20秒~1分40秒加熱する。
2. 牛乳を加えて混ぜ、ラップをかけて電子レンジで20~30秒加熱し、粉チーズをふる。

トマト納豆

材料
- Ⓒ トマト 15g ＋ Ⓗ 納豆 10g ＋ Ⓑ だし汁 大さじ1

作り方
1. トマトと納豆、だし汁を合わせ、ラップをかけて電子レンジで1分~1分20秒加熱して混ぜる。

木曜日 Thursday

スープの牛乳は、しっかり加熱を

トマトとツナのミルクスープ

7倍がゆ

金曜日 Friday

トマトと納豆をだしでつなぐ

ミルクリゾット

トマト納豆

モグモグ期 3〜4週目

土曜日 Saturday

いんげんにツナを合わせてうまみをプラス

ツナといんげんのだし煮

青のりがゆ

青のりがゆ

材料
Ⓐ 7倍がゆ 50〜60g ＋ 青のり 小さじ¼

作り方
1. 7倍がゆに水小さじ¼をふり、ラップをかけて電子レンジで1分20秒〜1分40秒加熱する。青のりをふる。

ツナといんげんのだし煮

材料
Ⓓ さやいんげん 10g ＋ Ⓕ ツナ 5g ＋ Ⓑ だし汁 大さじ2 ＋ かたくり粉 適量

作り方
1. さやいんげんとツナ、だし汁を合わせ、ラップをかけて電子レンジで1分40秒〜2分加熱する。
2. 水溶きかたくり粉を加えて混ぜ、ラップをかけて電子レンジで10〜20秒加熱する。

日曜日 Sunday

7倍がゆ

豆腐はつぶすと飲み込みやすい

トマトといんげんの温やっこ

7倍がゆ

材料
Ⓐ 7倍がゆ 50〜60g

作り方
1. 7倍がゆに水小さじ¼をふり、ラップをかけて電子レンジで1分20秒〜1分40秒加熱する。

トマトといんげんの温やっこ

材料
Ⓒ トマト 15g ＋ Ⓓ さやいんげん 10g ＋ 豆腐 25g

作り方
1. トマト、さやいんげんそれぞれに水小さじ¼をふり、ラップをかけて電子レンジで20〜30秒ずつ加熱する。
2. 豆腐にラップをかけて電子レンジで10〜30秒加熱する。つぶして器に盛り、1をのせる。

主食にそうめんが登場！
卵も卵黄からスタート

モグモグ期 5〜6週目
（7〜8カ月ごろ）

1週間分(7食分)のストック食材

A 後半は徐々に増やして 7倍がゆ
白飯1½カップ、水4½カップ
白飯と水で7倍がゆを作り(→p.14)、60〜70gずつ保存容器に入れて冷凍する。製氷皿で保存してもOK！
60〜70g×6〜8回

C 多めにストックしても！ だし汁
300ml
だし汁を作り(→p.15)、大さじ1ずつ製氷皿に入れて冷凍する。
大さじ1(15ml)×20回

POINT 冷凍後は、冷凍用保存袋に入れ替えよう。

E はかまは皮ごとむいて アスパラ
グリーンアスパラガス50g（3本）
皮をむき、ゆで鍋の大きさに合わせて切る。熱湯でやわらかくゆでてみじん切りにし、ラップで1本の棒状に包む。冷凍用保存袋に入れて冷凍する。＊10gずつ折って使う。
10g×4回

F 黄パプリカでもOK！ 赤パプリカ
60g（⅖個）
種、へたをのぞき、皮をピーラーなどでむいて縦4等分に切る。熱湯でやわらかくゆでる。みじん切りにし、ラップで1本の棒状に包む。冷凍用保存袋に入れて冷凍する。＊10gずつ折って使う。
10g×4回

G 主食代わりにもなる さつまいも
50g（太め2cm厚さ）
皮を厚めにむいて水に5分ほどさらし、5〜6mm角に切る。水からやわらかくゆでる。ラップにのせて包み、3等分のすじ目をつけ、冷凍用保存袋に入れて冷凍する。＊15gずつ折って使う。
15g×3回

B みじん切りで食べやすく そうめん
乾麺50g（1束）
熱湯でやわらかくゆでて、みじん切りにする。30〜45gずつラップで包み、冷凍用保存袋に入れて冷凍する。
30〜45g×3〜4回

D しっとりゆでよう ささみ
60g（小1本）
熱湯でゆでてすじを取りのぞき、細かく刻んでラップで1本の棒状に包む。冷凍用保存袋に入れて冷凍する。＊10gずつ折って使う。
10g×5回

Plus 家にある食材

卵 赤ちゃんはまず卵黄から。卵白は卵黄に慣れてから。

牛乳 加熱すればモグモグ期はOK！ 飲むなら1歳以降に。

麩 水でもどせばやわらかく食べやすい。たんぱく質補給にも。

りんご 食物繊維が豊富なので、お通じによい。

かたくり粉 とろみをつけたいときに使う。使い方はp.38参照。

7倍がゆ

材料
Ⓐ 7倍がゆ 60〜70g

作り方
1. 7倍がゆに水小さじ¼をふり、ラップをかけて電子レンジで1分30秒〜1分40秒加熱する。

パプリカのそぼろ煮

材料
Ⓓ ささみ 10g ＋ Ⓕ 赤パプリカ 10g ＋ Ⓒ だし汁 大さじ1 ＋ かたくり粉 適量

作り方
1. ささみと赤パプリカ、だし汁を合わせ、ラップをかけて電子レンジで1分〜1分20秒加熱する。
2. 水溶きかたくり粉を加えて混ぜ、ラップをかけて電子レンジで10〜20秒加熱する。

月曜日 Monday

ささみが食べやすいようにとろみを

パプリカのそぼろ煮

7倍がゆ

パサつく黄身は
混ぜながら
食べさせて

火曜日
Tuesday

アスパラと卵のそうめん

材料
Ⓑ そうめん 30〜45g ＋ Ⓔ アスパラ 10g ＋ Ⓒ だし汁 大さじ3 ＋ ゆで卵（かたゆで）黄身小さじ½

作り方
1. そうめんとアスパラ、だし汁を合わせ、ラップをかけて電子レンジで2分〜2分30秒加熱して混ぜる。ゆで卵の黄身を裏ごししてのせる。

すりおろしりんご

材料
りんご 1/10個（30g）

作り方
1. りんごは皮をむいて、種をのぞいてすりおろす。

アスパラと卵のそうめん

すりおろしりんご

モグモグ期
5〜6週目

ミネラル豊富な
麩をプラスして
栄養◎！

水曜日
Wednesday

麩がゆ

材料
Ⓐ 7倍がゆ 60〜70g ＋ 麩 ½個（1g）

作り方
1. 7倍がゆに水小さじ¼をふり、ラップをかけて電子レンジで1分30秒〜1分40秒加熱する。
2. 麩はすりおろして水大さじ1を加えてもどす。ラップをかけて電子レンジで10〜20秒加熱して1に混ぜる。

さつまいものだし煮

材料
Ⓖ さつまいも 15g ＋ Ⓒ だし汁 大さじ1

作り方
1. さつまいもとだし汁を合わせ、ラップをかけて電子レンジで1分〜1分10秒加熱して混ぜる。ラップをかけて電子レンジでさらに10秒加熱する。

麩がゆ

鶏そぼろあん

鶏そぼろあん

材料
Ⓓ ささみ 10g ＋ Ⓒ だし汁 大さじ1 ＋ かたくり粉 適量

作り方
1. ささみとだし汁を合わせ、ラップをかけて電子レンジで1分〜1分10秒加熱する。
2. 水溶きかたくり粉を加えて混ぜ、ラップをかけて電子レンジで10〜20秒加熱する。

さつまいものだし煮

7倍がゆ

材料
- Ⓐ 7倍がゆ 60〜70g

作り方
1. 7倍がゆに水小さじ¼をふり、ラップをかけて電子レンジで1分30秒〜1分40秒加熱する。

さつまいものそぼろ煮

材料
- Ⓖ さつまいも 15g
- Ⓓ ささみ 10g
- Ⓒ だし汁 大さじ1
- かたくり粉 適量

作り方
1. さつまいもとささみ、だし汁を合わせ、ラップをかけて電子レンジで1分10秒〜1分20秒加熱する。
2. 水溶きかたくり粉を加えて混ぜ、ラップをかけて電子レンジで10〜20秒加熱する。

木曜日 Thursday

7倍がゆ

素朴な甘みとうまみがおいしい

さつまいものそぼろ煮

鶏とアスパラとパプリカのそうめん

材料
- Ⓑ そうめん 30〜45g
- Ⓔ アスパラ 10g
- Ⓕ 赤パプリカ 10g
- Ⓓ ささみ 10g
- Ⓒ だし汁 大さじ2

作り方
1. そうめんとアスパラ、赤パプリカ、ささみ、だし汁を合わせ、ラップをかけて電子レンジで40〜50秒加熱して混ぜる。ラップをかけて電子レンジでさらに1分50秒〜2分20秒加熱する。

金曜日 Friday

この1品で3つの栄養素がとれる

鶏とアスパラとパプリカのそうめん

土曜日 Saturday

牛乳で自然なとろみをつけて

7倍がゆ

チキンとさつまいものミルクスープ

モグモグ期 5〜6週目

7倍がゆ

材料
Ⓐ 7倍がゆ 60〜70g

作り方
1. 7倍がゆに水小さじ¼をふり、ラップをかけて電子レンジで1分30秒〜1分40秒加熱する。

チキンとさつまいものミルクスープ

材料
Ⓓ ささみ 10g ＋ Ⓖ さつまいも 15g ＋ Ⓒ だし汁 大さじ1 ＋ 牛乳 大さじ1

作り方
1. ささみとさつまいも、だし汁を合わせ、ラップをかけて電子レンジで1分10秒〜1分20秒加熱する。
2. 牛乳を加えて混ぜて、ラップをかけて電子レンジで20〜30秒加熱する。

日曜日 Sunday

アスパラとパプリカのだし煮

かゆに黄身を混ぜてやさしい味わい

卵がゆ

卵がゆ

材料
Ⓐ 7倍がゆ 60〜70g ＋ 卵黄 ⅛個分(6g)

作り方
1. 7倍がゆに水小さじ¼をふり、ラップをかけて電子レンジで1分30秒〜1分40秒加熱する。卵黄を加えて混ぜ、ラップをかけて電子レンジで30〜40秒加熱して混ぜる。

POINT 卵黄にしっかり火を通すこと！ 火が通っていなかったら、ようすを見ながら電子レンジで10秒ずつ加熱する。

アスパラとパプリカのだし煮

材料
Ⓔ アスパラ 10g ＋ Ⓕ 赤パプリカ 10g ＋ Ⓒ だし汁 大さじ1 ＋ かたくり粉 適量

作り方
1. アスパラと赤パプリカ、だし汁を合わせ、ラップをかけて電子レンジで1分10秒〜1分20秒加熱する。
2. 水溶きかたくり粉を加えて混ぜ、ラップをかけて電子レンジで10〜20秒加熱する。

トマトやチーズを上手に使って
コクやうまみをプラス！

モグモグ期
（7〜8カ月ごろ）

7〜8週目

1週間分(7食分)のストック食材

A 食が進むなら増量を
7倍がゆ

白飯1½カップ、水4½カップ
白飯と水で7倍がゆを作り(→p.14)、65〜80gずつ保存容器に入れて冷凍する。製氷皿で保存してもOK！

65〜80g×6〜7回

B 冷凍せずに常備しても
だし汁

300ml
だし汁を作り(→p.15)、大さじ1ずつ製氷皿に入れて冷凍する。

大さじ1(15ml)×20回

POINT 冷凍後は、冷凍用保存袋に入れ替えよう。

C 酸味で味にバリエを
トマト

60g(小½個)
へたをのぞき、熱湯で湯むきして(→p.23)種をのぞいてみじん切りにする。10gずつ保存容器に入れて冷凍する。

10g×5回

D 食べやすく栄養価も◎
ブロッコリー

55g(8房)
小房に分け、熱湯でやわらかくゆでる。花蕾の部分を4〜5mm大に刻み、ラップで1本の棒状に包む。冷凍用保存袋に入れて冷凍する。＊10gずつ折って使う。

10g×4回

E ゆでるよりレンチンが◎
かぼちゃ

60g(¹⁄₄₀個)
種、わたをのぞき、2〜3cm角に切る。電子レンジで1〜2分加熱する。皮をむいて5〜6mm大に切り、10gずつラップで包み、冷凍用保存袋に入れて冷凍する。

10g×4回

F 魚は火をしっかり通して
たい

刺し身用サク40g
熱湯でゆでてほぐし、ラップで1本の棒状に包む。冷凍用保存袋に入れて冷凍する。＊10gずつ折って使う。

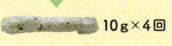

10g×4回

POINT たいの代わりにひらめ、かれいなどの白身魚でもOK！

G クセがなく食べやすい
ささみ

60g(1本)
熱湯でゆでてすじを取りのぞき、細かく刻んでラップで1本の棒状に包む。冷凍用保存袋に入れて冷凍する。＊10gずつ折って使う。

10g×5回

Plus 家にある食材

カッテージチーズ
低脂肪、高たんぱくなので、赤ちゃんにおすすめ！

牛乳
加熱すればモグモグ期はOK！ 飲むなら1歳以降に。

いちご
つぶしやすいので、赤ちゃんが食べやすい。

かたくり粉
とろみをつけたいときに使う。使い方はp.38参照。

月曜日 Monday

7倍がゆ

材料
Ⓐ 7倍がゆ 65〜80g

作り方
1. 7倍がゆに水小さじ¼をふり、ラップをかけて電子レンジで1分40秒〜1分50秒加熱する。

トマト

材料
Ⓒ トマト 10g

作り方
1. トマトに水小さじ¼をふり、ラップをかけて電子レンジで20〜30秒加熱する。

ささみとブロッコリーのだし煮

材料
Ⓖ ささみ 10g ＋ Ⓓ ブロッコリー 10g ＋ Ⓑ だし汁 大さじ1

作り方
1. ささみとブロッコリー、だし汁を合わせ、ラップをかけて電子レンジで1分10秒〜1分20秒加熱し、混ぜる。

7倍がゆ
ささみとブロッコリーのだし煮
トマトは混ぜずに箸休めに
トマト

火曜日 Tuesday

チーズのうまみとコクで食が進む

チーズかぼちゃがゆ

たいとトマトのだし煮

モグモグ期 7〜8週目

チーズかぼちゃがゆ
材料
Ⓐ 7倍がゆ 65〜80g ＋ Ⓔ かぼちゃ 10g ＋ カッテージチーズ 小さじ½

作り方
1. 7倍がゆ、かぼちゃを合わせて水小さじ¼をふり、ラップをかけて電子レンジで1分50秒〜2分10秒加熱し、混ぜる。
2. ラップをかけて電子レンジでさらに10〜20秒加熱し、カッテージチーズを加えて混ぜる。

たいとトマトのだし煮
材料
Ⓕ たい 10g ＋ Ⓒ トマト 10g ＋ Ⓑ だし汁 大さじ2

作り方
1. たいとトマト、だし汁を合わせ、ラップをかけて電子レンジで1分40秒〜1分50秒加熱して混ぜる。

水曜日 Wednesday

いちご

ささみがトマトの水けで食べやすい

7倍がゆ

ささみブロッコリーのトマトあえ

7倍がゆ
材料
Ⓐ 7倍がゆ 65〜80g

作り方
1. 7倍がゆに水小さじ¼をふり、ラップをかけて電子レンジで1分40秒〜1分50秒加熱する。

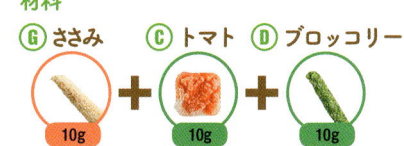

ささみブロッコリーのトマトあえ
材料
Ⓖ ささみ 10g ＋ Ⓒ トマト 10g ＋ Ⓓ ブロッコリー 10g

作り方
1. ささみとトマト、ブロッコリーを合わせて水小さじ¼をふり、ラップをかけて電子レンジで50秒〜1分加熱し、混ぜる。

いちご
材料
いちご 1個(20g)

作り方
1. いちごはへたを取り、フォークなどでつぶす。

7倍がゆ

材料
- Ⓐ 7倍がゆ 65~80g

作り方
1. 7倍がゆに水小さじ¼をふり、ラップをかけて電子レンジで1分40秒~1分50秒加熱する。

たいのだしあん

材料
- Ⓕ たい 10g ＋ Ⓑ だし汁 大さじ1 ＋ かたくり粉 適量

作り方
1. たいとだし汁を合わせ、ラップをかけて電子レンジで50秒~1分加熱する。水溶きかたくり粉を加えて混ぜ、ラップをかけて電子レンジで10~20秒加熱する。

かぼちゃのチーズあえ

材料
- Ⓔ かぼちゃ 10g ＋ カッテージチーズ 小さじ½

作り方
1. かぼちゃに水小さじ¼をふり、ラップをかけて電子レンジで15~25秒加熱し、カッテージチーズを混ぜる。

木曜日 Thursday
- 7倍がゆ
- たいのだしあん
- かぼちゃのチーズあえ

> カッテージチーズは非加熱でOK！

7倍がゆ

材料
- Ⓐ 7倍がゆ 65~80g

作り方
1. 7倍がゆに水小さじ¼をふり、ラップをかけて電子レンジで1分40秒~1分50秒加熱する。

たいとかぼちゃのとろとろスープ

材料
- Ⓕ たい 10g ＋ Ⓔ かぼちゃ 10g ＋ Ⓑ だし汁 大さじ3 ＋ かたくり粉 適量

作り方
1. たいとかぼちゃ、だし汁を合わせ、ラップをかけて電子レンジで2分~2分20秒加熱する。水溶きかたくり粉を加えて混ぜ、ラップをかけて電子レンジで10~20秒加熱して混ぜる。

金曜日 Friday
- たいとかぼちゃのとろとろスープ
- 7倍がゆ

> とろみと甘みがおいしいスープ

土曜日 Saturday

ささみトマトがゆ

かぼちゃのスープはデザート感覚で

かぼちゃのミルクスープ

ささみトマトがゆ

材料
- Ⓐ 7倍がゆ 65〜80g
- Ⓒ トマト 10g
- Ⓖ ささみ 10g

作り方
1. 7倍がゆに水小さじ¼をふり、ラップをかけて電子レンジで1分40秒〜1分50秒加熱する。
2. トマトとささみを合わせて水小さじ¼をふり、ラップをかけて電子レンジで20秒加熱し、1と混ぜる。

かぼちゃのミルクスープ

材料
- Ⓔ かぼちゃ 10g
- 牛乳 大さじ1½

作り方
1. かぼちゃに水小さじ¼をふり、ラップをかけて電子レンジで15秒〜20秒加熱してつぶす。
2. 牛乳を加えて混ぜ、ラップをかけて電子レンジでさらに20〜30秒加熱する。

モグモグ期 7〜8週目

日曜日 Sunday

7倍がゆ

ブロッコリーチーズ

トマトにだしを合わせるとおいしい

和風トマトスープ

7倍がゆ

材料
- Ⓐ 7倍がゆ 65〜80g

作り方
1. 7倍がゆに水小さじ¼をふり、ラップをかけて電子レンジで1分40秒〜1分50秒加熱する。

和風トマトスープ

材料
- Ⓒ トマト 10g
- Ⓑ だし汁 大さじ3

作り方
1. トマトとだし汁を合わせ、ラップをかけて電子レンジで1分50秒〜2分加熱して混ぜる。

ブロッコリーチーズ

材料
- Ⓓ ブロッコリー 10g
- カッテージチーズ 小さじ½

作り方
1. ブロッコリーに水小さじ¼をふり、ラップをかけて電子レンジで20〜30秒で加熱し、カッテージチーズを加えて混ぜる。

活用したい！味の方程式

Column 3

カミカミ期、パクパク期は1日3回食となり、食べられる食材もグンと増えます。
子どもにさまざまな味に慣れ親しんでもらうために、ストック食材にひと手間かけるだけで
味のバリエーションが出せる「方程式」を紹介します。組み合わせる食材を変えて楽しんでください。

＊印の食材は、冷凍ストックしておいたものです。下ごしらえの方法は、p.10〜13参照。

方程式 3　○○○＋かつおぶし＋だし汁＋しょうゆ ＝おひたし

キャベツのおひたし

材料（1人分）	カミカミ期	パクパク期
キャベツ＊	25g	25g
かつおぶし	1g	1g
だし汁	大さじ1	大さじ1
しょうゆ	2滴	3滴

作り方
1. キャベツに水小さじ¼をふり、ラップをかけて電子レンジで30〜50秒加熱し、残りの材料と混ぜる。

おすすめ食材
- キャベツ　・小松菜
- グリーンアスパラガス
- 白菜　・きのこ　など

方程式 1　○○○＋トマトソース＝トマト煮

チキントマト煮

材料（1人分）	カミカミ期	パクパク期
鶏もも肉＊	20g	25g
トマトソース（→p.16）＊	大さじ1	大さじ1

作り方（　）内はパクパク期の作り方です。
1. 鶏肉とトマトソースを合わせ、水小さじ¼（小さじ½）をふり、ラップをかけて電子レンジで1分〜1分20秒（1分10秒〜1分30秒）加熱して混ぜる。

おすすめ食材
- 鶏肉　・豚肉　・牛肉
- 白身魚　・じゃがいも
- なす　など

方程式 4　○○○＋塩＋ごま油＝ナムル

にんじんナムル

材料（1人分）	カミカミ期	パクパク期
にんじん＊	25g	25g
塩	少々	少々
ごま油	小さじ¼	小さじ¼

作り方
1. にんじんに水小さじ¼をふり、ラップをかけて電子レンジで30〜50秒加熱し、残りの材料と混ぜる。

おすすめ食材
- にんじん　・もやし
- ほうれん草　・きゅうり
- キャベツ　・きのこ　など

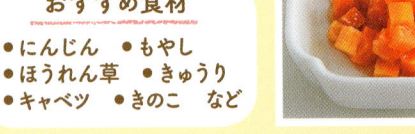

方程式 2　○○○＋白すりごま＋砂糖＋塩＝ごまあえ

ほうれん草のごまあえ

材料（1人分）	カミカミ期	パクパク期
ほうれん草＊	20g	20g
白すりごま	小さじ½	小さじ½
砂糖、塩	少々	少々

作り方
1. ほうれん草に水小さじ¼をふり、ラップをかけて電子レンジで30〜50秒加熱し、残りの材料と混ぜる。

おすすめ食材
- ほうれん草　・鶏ささみ
- ピーマン、パプリカ
- さやいんげん　など

※写真は、パクパク期のレシピです。

方程式 7

◯◯◯+ホワイトソース+粉チーズ＝グラタン

さけのグラタン

材料（1人分）	カミカミ期	パクパク期
生ざけ*	20g	20g
ほうれん草*	20g	20g
ホワイトソース（→p.16）*	大さじ1	大さじ1
粉チーズ	小さじ¼	小さじ½

作り方
1. 生ざけ、ほうれん草を合わせて水小さじ¼をふり、ラップをかけて電子レンジで40〜50秒加熱する。
2. ホワイトソースにラップをかけて、電子レンジで40〜50秒加熱する。
3. 耐熱容器に1を入れて2をかけ、粉チーズをふってオーブントースターで4〜5分焼く。

おすすめ食材
- 生ざけ、たい、まぐろなどの魚
- 鶏肉や豚薄切り肉
- ほうれん草などの青菜　●なす
- じゃがいも　●キャベツ　など

方程式 5

◯◯◯+豆腐+しょうゆ+砂糖＝白あえ

れんこんの白あえ

材料（1人分）	カミカミ期	パクパク期
れんこん*	15g	20g
絹ごし豆腐	15g	20g
しょうゆ	1〜2滴	3〜4滴
砂糖	少々	小さじ¼

作り方
1. れんこんに水小さじ¼をふり、ラップをかけて電子レンジで30〜50秒加熱する。
2. 豆腐にラップをかけて電子レンジで10〜20秒加熱し、汁けをきってすりつぶし、1、残りの材料と混ぜる。

おすすめ食材
- れんこん　●にんじん
- 芽ひじき　●ブロッコリー
- ほうれん草　●枝豆　など

方程式 8

◯◯◯+じゃがいも+塩+かたくり粉＝おやき

しらすおやき

材料（1人分）	カミカミ期	パクパク期
しらす*	15g	20g
じゃがいも*	40g	40g
塩	少々	少々
かたくり粉	小さじ1	小さじ1
オリーブ油	小さじ1弱	小さじ1弱

作り方　（　）内はパクパク期の作り方です。
1. しらすとじゃがいもを合わせて水小さじ¼（小さじ½）をふり、ラップをかけて電子レンジで40〜50秒加熱する。塩、かたくり粉を加えて混ぜ、3〜4等分して小判型に形を整える。
2. フライパンにオリーブ油を熱し、1を入れて両面を焼き、中までしっかり火を通す。

おすすめ食材
- しらす　●ほうれん草
- にんじん　●かつおぶし
- 桜えび　●枝豆　など

方程式 6

◯◯◯+卵+塩+牛乳＝スクランブルエッグ

枝豆のスクランブルエッグ

材料（1人分）	カミカミ期	パクパク期
枝豆*	12〜14g	16g
卵	⅓個	½個
塩	少々	少々
牛乳	小さじ½	小さじ½
オリーブ油	小さじ¼	小さじ½

作り方　（　）内はパクパク期の作り方です。
1. 枝豆に水小さじ¼（小さじ½）をふり、ラップをかけて電子レンジで15〜20秒加熱する。
2. 卵を溶きほぐし、1、塩、牛乳を加えて混ぜる。
3. フライパンにオリーブ油を熱し、2を流し入れて混ぜ、全体にしっかり火を通す。

おすすめ食材
- 枝豆　●とうもろこし
- 鶏そぼろ　●しらす
- にんじん　●チーズ
- 大豆（水煮）　など

カミカミ期
（9～11カ月ごろ）

食べものを歯ぐきでかむようになるカミカミ期。
離乳食タイムは1日3回・朝昼夜、
できるだけ大人も一緒に食べましょう。

離乳食は1日3回に！手づかみ食べもはじまるころです

赤ちゃんのタイムスケジュール

例）
- 8:00　離乳食＋おっぱい・ミルク 1回目
- 12:00　離乳食＋おっぱい・ミルク 2回目
- 15:00　おっぱい・ミルク
- 18:00　離乳食＋おっぱい・ミルク 3回目
- 20:00　おっぱい・ミルク

- 大人と同じように、朝昼夜・1日3回に。毎日同じ時間がベストです
- できれば家族と一緒に食べましょう
- 栄養の60％くらいを離乳食からとるように心がけます
- 離乳食後のおっぱい・ミルクは、ほしがらなかったら飲ませなくて構いません
- 離乳食と離乳食の間隔は4時間以上あけましょう
- お腹が空いたら、午後におやつを食べてもよいでしょう

座り方

手を自由に動かせる体勢に

手づかみ食べがはじまるので、テーブルの食べものに手が届く高さにイスを調節します。足が踏んばれると歯ぐきに力が入り、しっかりかめるので、足が板や床に届くようにしましょう。

カミカミ

かたさの目安はバナナくらい

赤ちゃんの舌が前後上下のほか、左右にも動くようになります。舌で食べものを左右に動かして歯ぐきに寄せたら、歯ぐきでかみつぶします。目安は、大人が指で軽く押したときにつぶれるバナナのかたさ。やわらかすぎるとかむ練習にならないので注意を。

食べものやスプーンは自由にさわらせてOK

下唇にスプーンをのせて、上唇を閉じたら、スプーンを引きます。食べものやスプーンを手でつかもうとしたら、自由にさわらせます。食べものを口から出してしまう場合は、食べもののかたさや大きさを見直すとよいでしょう。

手づかみで食べやすい形状に

自分の手で食べものをつかんで食べたいという意欲があるので、やわらかい野菜はスティック状にしたり、手づかみメニューにチャレンジしてもよいでしょう。好き嫌いも出てきますが、まだまだ変化する時期なので深刻にならなくて大丈夫です。

食べる意欲がぐんぐんUP

1日3回食になり、1日に必要な栄養の3分の2を離乳食からとるようになります。自分で食べたいという気持ちが強くなり手づかみ食べがはじまる反面、遊び食べで食べものをぐちゃぐちゃにすることも。通過点ととらえて見守りましょう。

赤ちゃんの状態をチェック！ 次のステップ（パクパク期）に進む目安

- ☑ 1日3回・朝昼夜にしっかり離乳食を食べている
- ☑ バナナくらいのかたさのものもかんで食べようとする
- ☑ 手づかみ食べをよくする。スプーンをにぎりたがる

72

1食分の量とかたさの目安

実物大

食べる量に個人差があっても、1日3回のリズムがたいせつ。
食欲のある子には、野菜をたくさん与えましょう。

カミカミ期

後半

ビタミン・ミネラル源

にんじん 角切り

皮をむいてやわらかくゆでたにんじんを7mm角に切り、だし汁で煮る。野菜の量の目安は30〜40g（大さじ1 $\frac{2}{3}$〜2強）。

たんぱく質源

豆腐 角切り

絹ごし豆腐を7mm角に切り、だし汁で煮る。量の目安は45g（大さじ2 $\frac{1}{3}$ くらい）。魚や肉なら15g（大さじ1強）。赤ちゃんは消化器機能が未発達なので、たんぱく質源の過剰摂取は厳禁です。

エネルギー源

ごはん 5倍がゆ

白飯と水で5倍がゆを作る（→p.14）。量の目安は70〜80g（大さじ4 $\frac{2}{3}$〜5 $\frac{1}{3}$）。パンは耳をのぞいたもの $\frac{1}{2}$〜$\frac{2}{3}$ 枚（10〜13g）、うどん、パスタはゆでたもの60g（大さじ4）。

前半

ビタミン・ミネラル源

にんじん 角切り

皮をむいてやわらかくゆでたにんじんを5mm角に切り、だし汁で煮る。野菜の量の目安は30〜40g（大さじ1 $\frac{2}{3}$〜2強）。

たんぱく質源

豆腐 角切り

絹ごし豆腐を5mm角に切り、だし汁で煮る。量の目安は40g（大さじ2強）。魚や肉なら15g（大さじ1強）。赤ちゃんは消化器機能が未発達なので、たんぱく質源の過剰摂取は厳禁です。

エネルギー源

ごはん 5倍がゆ

白飯と水で5倍がゆを作る（→p.14）。量の目安は70〜80g（大さじ4 $\frac{2}{3}$〜5 $\frac{1}{3}$）。パンは耳をのぞいたもの $\frac{1}{2}$ 枚（10g）、うどん、パスタはゆでたもの50〜60g（大さじ3 $\frac{1}{3}$〜4）。

3回食になり、レシピもバリエーション豊かに！

カミカミ期
（9〜11カ月ごろ）

1〜2週目

1週間分（7食分）のストック食材

A お米が感じられる大きさ 5倍がゆ
白飯2カップ、水4カップ
白飯と水で5倍がゆを作り（→p.14）、70〜80gずつ保存容器に入れて冷凍する。

70〜80g×8〜9回

C 骨&皮なしで楽！ めかじきのだし煮
めかじき30g、だし汁適量
めかじきは5〜6mm角に切って小鍋に入れ、ひたひたのだし汁を加えて火が通るまで煮る。3等分してラップで包み、冷凍用保存袋に入れて冷凍する。

10g×3回

E 解凍後に刻んでも にんじん
100g（小1本）
皮をむき、2cm厚さの輪切りにする。水からやわらかくゆでて、5〜6mm角に切る。20gずつラップで包み、冷凍用保存袋に入れて冷凍する。

20g×4回

F 栄養豊富でうれしい ほうれん草
葉先45g（小3/5株）
葉先を熱湯でやわらかくゆでて水にさらす。水けをきって粗めのみじん切りにし、ラップで1本の棒状に包む。冷凍用保存袋に入れて冷凍する。＊15gずつ折って使う。

15g×3回

G 角切りでOK！ トマト
120g（1個）
へたをのぞき、熱湯で湯むきして（→p.23）種をのぞいて5〜6mm角に切る。20gずつ保存容器に入れて冷凍する。

20g×5回

B 和風だしでうまみをプラス だし汁
300ml
だし汁を作り（→p.15）、大さじ1ずつ製氷皿に入れて冷凍する。

大さじ1（15ml）×20回

POINT 冷凍後は、冷凍用保存袋に入れ替えよう。

D ひき肉で食べやすく チキンクリーム煮
材料 鶏むねひき肉60g、玉ねぎ60g（1/4個）、にんじんの輪切り（1cm厚さ）2枚分、バター5g、小麦粉大さじ1、だし汁1/2カップ、牛乳1/2カップ、塩少々

作り方
1 玉ねぎ、にんじんはみじん切りにし、バターを熱したフライパンで炒める。しんなりしたら、ひき肉を加えて炒める。
2 1に小麦粉を加えてまぶし、だし汁を加えて煮る。にんじんがやわらかくなったら牛乳を加え、とろみがつくまで煮る。塩を加えて混ぜる。4等分して保存容器に入れて冷凍する。

4回分

Plus 家にある食材

豆腐 赤ちゃんには、舌ざわりのなめらかな絹ごし豆腐を。

かつおぶし かつおのおいしさがつまっている。うまみをプラスしたいときに。

白すりごま おかゆや野菜と混ぜて。ミネラルが豊富！

粉チーズ 塩分、脂肪分が多いので、使うのはごく少量に。

しょうゆ 塩分を含むので使いすぎに注意。

みそ 塩分を含むので使いすぎに注意。だし入りは添加物が入っているので避けて。

かたくり粉 とろみをつけたいときに使う。使い方はp.38参照。

おかかトマトの5倍がゆ

材料
Ⓐ 5倍がゆ 70〜80g ＋ Ⓖ トマト 20g ＋ かつおぶし ひとつまみ

作り方
1. 5倍がゆに水小さじ1/4をふり、ラップをかけて電子レンジで1分40秒〜1分50秒加熱する。
2. トマトは水小さじ1/4をふり、ラップをかけて電子レンジで20〜30秒加熱し、1に混ぜる。かつおぶしを加えて混ぜる。

チキンクリーム煮

材料
Ⓓ チキンクリーム煮 1回分

作り方
1. チキンクリーム煮に水小さじ1/4をふり、ラップをかけて電子レンジで1分20秒加熱して混ぜる。ラップをかけて電子レンジでさらに10〜20秒加熱する。

おかかトマトの5倍がゆ

解凍だけのクリーム煮は楽ちん♪

月曜日 Monday

チキンクリーム煮

カミカミ期 1〜2週目

火曜日 Tuesday

めかじきはパサつくのでとろみを！

5倍がゆのごまがけ
めかじきのだし煮
ほうれん草の白あえ

5倍がゆのごまがけ
材料
- A 5倍がゆ 70〜80g
- ＋ 白すりごま 小さじ⅓

作り方
1. 5倍がゆに水小さじ¼をふり、ラップをかけて電子レンジで1分40秒〜1分50秒加熱する。ごまをふる。

めかじきのだし煮
材料
- C めかじきのだし煮 10g
- ＋ B だし汁 大さじ2
- ＋ かたくり粉 適量

作り方
1. めかじきとだし汁を合わせ、ラップをかけて電子レンジで1分20秒〜1分40秒加熱する。
2. 水溶きかたくり粉を加えて混ぜ、ラップをかけて電子レンジで10〜20秒加熱して混ぜる。

ほうれん草の白あえ
材料
- F ほうれん草 15g
- ＋ B だし汁 大さじ1
- ＋ 豆腐 15g
- しょうゆ 2滴

作り方
1. ほうれん草とだし汁を合わせて、ラップをかけて電子レンジで1分〜1分10秒加熱する。
2. しょうゆを加えて豆腐をすりつぶして混ぜ、ラップをかけて電子レンジで10〜20秒加熱する。

水曜日 Wednesday

ほんの少量のみそで、おみそ汁に

5倍がゆ
めかじきのみそ汁

5倍がゆ
材料
- A 5倍がゆ 70〜80g

作り方
1. 5倍がゆに水小さじ¼をふり、ラップをかけて電子レンジで1分40秒〜1分50秒加熱する。

めかじきのみそ汁
材料
- C めかじきのだし煮 10g
- ＋ E にんじん 20g
- ＋ G トマト 20g
- ＋ B だし汁 大さじ3
- ＋ みそ 小さじ¼

作り方
1. めかじきとにんじん、トマト、だし汁を合わせ、ラップをかけて電子レンジで2分20秒〜2分30秒加熱する。
2. みそを加えて混ぜ、ラップをかけて電子レンジで10〜20秒加熱する。

チキンドリア

材料
- Ⓐ 5倍がゆ 70~80g
- Ⓓ チキンクリーム煮 1回分
- 粉チーズ 小さじ½

作り方
1. 5倍がゆに水小さじ¼をふり、ラップをかけて電子レンジで1分30秒~1分40秒加熱する。
2. チキンクリーム煮に水小さじ¼をふり、ラップをかけて電子レンジで1分加熱して混ぜる。
3. 耐熱容器に1を盛り、2をのせて粉チーズをふってオーブントースターで4~5分焼く。

ほうれん草のおひたし

材料
- Ⓕ ほうれん草 15g
- Ⓑ だし汁 大さじ1
- かつおぶし ふたつまみ

作り方
1. ほうれん草とだし汁を合わせ、ラップをかけて電子レンジで1分~1分10秒加熱して混ぜる。かつおぶしをふる。

木曜日 Thursday ★★★

ほうれん草のおひたし

トースターで焼く前にしっかり解凍

チキンドリア

5倍がゆ

材料
- Ⓐ 5倍がゆ 70~80g

作り方
1. 5倍がゆに水小さじ¼をふり、ラップをかけて電子レンジで1分40秒~1分50秒加熱する。

トマトと豆腐のスープ

材料
- Ⓖ トマト 20g
- Ⓑ だし汁 大さじ3
- 豆腐 30g
- しょうゆ 2~3滴

作り方
1. トマトとだし汁を合わせ、ラップをかけて電子レンジで2分20秒~2分30秒加熱する。
2. 豆腐を5mm角に切って1に加え、しょうゆを混ぜる。ラップをかけて電子レンジで20~40秒加熱して混ぜる。

金曜日 Friday ★★★

5倍がゆ

スープはしょうゆをみそに代えても

トマトと豆腐のスープ

土曜日 Saturday

5倍がゆ

角切り豆腐も とろみがあれば OK！

めかじきの豆腐あん

にんじんの ごまあえ

カミカミ期 1〜2週目

5倍がゆ
材料
Ⓐ 5倍がゆ 70〜80g

作り方
1. 5倍がゆに水小さじ¼をふり、ラップをかけて電子レンジで1分40秒〜1分50秒加熱する。

めかじきの豆腐あん
材料
Ⓒ めかじきのだし煮 10g ＋ Ⓑ だし汁 大さじ1 ＋ 豆腐 15g　かたくり粉 適量

作り方
1. めかじきとだし汁を合わせ、ラップをかけて電子レンジで1分〜1分20秒加熱する。
2. 豆腐を1〜1.5cm角に切って1に加えて混ぜる。水溶きかたくり粉を加えて混ぜ、ラップをかけて電子レンジで20〜30秒加熱して混ぜる。

にんじんのごまあえ
材料
Ⓕ にんじん 20g ＋ Ⓑ だし汁 大さじ1 ＋ しょうゆ 2〜3滴　白すりごま 小さじ¼

作り方
1. にんじんとだし汁を合わせ、ラップをかけて電子レンジで1分〜1分20秒加熱する。しょうゆとごまを加えて混ぜる。

日曜日 Sunday

かゆは 混ぜながら 食べても

ほうれん草とトマトの のっけがゆ

にんじんチキンクリーム煮

ほうれん草とトマトののっけがゆ
材料
Ⓐ 5倍がゆ 70〜80g ＋ Ⓕ ほうれん草 15g ＋ Ⓖ トマト 20g ＋ 粉チーズ 小さじ⅓

作り方
1. 5倍がゆに水小さじ¼をふり、ラップをかけて電子レンジで1分40秒〜1分50秒加熱する。
2. ほうれん草とトマトは合わせて水小さじ¼をふり、ラップをかけて電子レンジで40〜50秒加熱する。粉チーズを加えて混ぜ、1にのせる。

にんじんチキンクリーム煮
材料
Ⓓ チキンクリーム煮 1回分 ＋ Ⓕ にんじん 20g

作り方
1. チキンクリーム煮とにんじんを合わせ、水小さじ¼をふり、ラップをかけて電子レンジで1分40秒〜1分50秒加熱して混ぜる。ラップをかけて電子レンジでさらに10〜20秒加熱する。

カミカミ期（9〜11カ月ごろ）

3〜4週目

ミネラルが豊富なひじきで栄養補給！

1週間分（7食分）のストック食材

A　おいしい食事の基本　5倍がゆ
白飯2カップ、水4カップ
白飯と水で5倍がゆを作り（→p.14）、70〜80gずつ保存容器に入れて冷凍する。

70〜80g×8〜9回

C　味の決め手　だし汁
300ml
だし汁を作り（→p.15）、大さじ1ずつ製氷皿に入れて冷凍する。

大さじ1（15ml）×20回

POINT　冷凍後は、冷凍用保存袋に入れ替えよう。

E　淡泊で、組み合わせ自在　ツナ（水煮缶）
40g（½缶）
ざるに入れ、熱湯をかけて水けをきり、細かくほぐす。ラップで1本の棒状に包み、冷凍用保存袋に入れて冷凍する。＊10gずつ折って使う。

10g×4回

POINT　ツナ缶には水煮と油漬けがあるので注意を！

F　甘みがあるので人気　キャベツ
100g（1½枚）
芯をのぞいて半分くらいの大きさにちぎる。熱湯でやわらかくゆでて5mm大に切る。ラップで1本の棒状に包み、冷凍用保存袋に入れて冷凍する。＊20gずつ折って使う。

20g×4回

G　つるんとした食感が◎　トマト
140g（大1個）
へたをのぞき、熱湯で湯むきして（→p.23）種をのぞいて1cm角に切る。20gずつ保存容器に入れて冷凍する。

20g×6回

B　麺を感じられる大きさに　うどん
ゆでうどん200g（1袋）
7〜8mm長さに切って60gずつラップで包み、冷凍用保存袋に入れて冷凍する。

60g×3回

D　ひじきで滋味豊かに　ひじきとにんじんのそぼろ煮
材料　乾燥芽ひじき5g、にんじん30g（大⅓本）、鶏むねひき肉50g、だし汁½カップ、A（しょうゆ、砂糖各小さじ½）

作り方
1 ひじきは30分以上水につけてもどし、みじん切りにする。にんじんは皮をむいて2cm厚さの輪切りにし、水からやわらかくゆでて2mm角×1cm長さに切る。ひき肉は熱湯に入れ、菜箸で混ぜてほぐしながらゆでて、水けをきる。
2 小鍋に1、だし汁を入れて煮て、Aを加えて混ぜ、1〜2分煮る。4等分して保存容器に入れて冷凍する。

4回分

Plus　家にある食材

納豆　納豆はひき割りを使うと刻む手間が省けて楽ちん。

白すりごま　おかゆや野菜と混ぜて。ミネラルが豊富！

バナナ　甘みがあり、赤ちゃんの好きな味。糖質が多いので、主食も兼ねて。

ごま油　モグモグ期以降OK！味のアクセントに。

塩　塩分は赤ちゃんの腎臓に負担になるので、指先につくらいのごく少量を。

しょうゆ　塩分を含むので使いすぎに注意。

かたくり粉　とろみをつけたいときに使う。使い方はp.38参照。

ひじきとにんじんのそぼろうどん

材料
B うどん　60g　＋　D ひじきとにんじんのそぼろ煮　1回分　＋　C だし汁　大さじ3

作り方
1. うどん、ひじきとにんじんのそぼろ煮、だし汁を合わせ、ラップをかけて電子レンジで2分30秒〜2分40秒加熱し、混ぜる。ラップをかけて電子レンジでさらに10〜20秒加熱する。

スライスバナナ

材料　バナナ¼本（25g）

作り方
1. バナナは7〜8mm幅の輪切りにする。

月曜日 Monday

3つの栄養がとれて大満足！

スライスバナナ
ひじきとにんじんのそぼろうどん

火曜日 Tuesday

5倍がゆ

1汁1菜で栄養満点！

5倍がゆ

キャベツの納豆あえ

ツナとトマトのだし煮

カミカミ期 3〜4週目

5倍がゆ

材料
Ⓐ 5倍がゆ 70〜80g

作り方
1. 5倍がゆに水小さじ¼をふり、ラップをかけて電子レンジで1分40秒〜1分50秒加熱する。

キャベツの納豆あえ

材料
Ⓕ キャベツ 20g ＋ 納豆 15g

作り方
1. キャベツに水小さじ¼をふり、ラップをかけて電子レンジで30〜40秒加熱する。納豆は熱湯をかけて4〜5mm大の粗めのみじん切りにして混ぜる。

ツナとトマトのだし煮

材料
Ⓔ ツナ 10g ＋ Ⓖ トマト 20g ＋ Ⓒ だし汁 大さじ1 ＋ 塩 少々 かたくり粉 適量

作り方
1. ツナとトマト、だし汁を合わせ、ラップをかけて電子レンジで1分20秒〜1分30秒加熱する。塩と水溶きかたくり粉を加えて混ぜ、ラップをかけて電子レンジで10〜20秒加熱して混ぜる。

たっぷりのだしでうどんをつるん

水曜日 Wednesday

キャベツごまうどん

トマトとひじきとにんじんのそぼろ煮

キャベツごまうどん

材料
Ⓑ うどん 60g ＋ Ⓕ キャベツ 20g ＋ Ⓒ だし汁 大さじ3 ＋ しょうゆ 2〜3滴 白すりごま 少々

作り方
1. うどんとキャベツ、だし汁を合わせ、ラップをかけて電子レンジで2分30秒〜2分50秒加熱する。
2. しょうゆを加えて混ぜ、ラップをかけて電子レンジで10〜20秒加熱する。ごまをふる。

トマトとひじきとにんじんのそぼろ煮

材料
Ⓖ トマト 20g ＋ Ⓓ ひじきとにんじんのそぼろ煮 1回分

作り方
1. トマト、ひじきとにんじんのそぼろ煮を合わせて水小さじ¼をふり、ラップをかけて電子レンジで50秒〜1分加熱し、混ぜる。ラップをかけて電子レンジでさらに10〜20秒加熱する。

5倍がゆ

材料
Ⓐ 5倍がゆ 70~80g

作り方
1. 5倍がゆに水小さじ¼をふり、ラップをかけて電子レンジで1分40秒~1分50秒加熱する。

ツナと野菜のあんかけ

材料
Ⓔ ツナ 10g ＋ Ⓕ キャベツ 20g ＋ Ⓖ トマト 20g ＋ Ⓒ だし汁 大さじ1 ＋ かたくり粉 適量

作り方
1. ツナとキャベツ、トマト、だし汁を合わせ、ラップをかけて電子レンジで1分30秒~1分40秒加熱する。
2. 水溶きかたくり粉を加えて混ぜ、ラップをかけて電子レンジで10~20秒加熱して混ぜる。

バナナ

材料
バナナ ⅓本(30g強)

作り方
1. バナナは縦3~4等分に切る。

木曜日 Thursday

5倍がゆ
バナナ
ツナと野菜のあんかけ

あんかけをかゆにのせて丼にしても

ひじきとそぼろの混ぜごはん

材料
Ⓐ 5倍がゆ 70~80g ＋ Ⓓ ひじきとにんじんのそぼろ煮 1回分

作り方
1. 5倍がゆに水小さじ¼をふり、ラップをかけて電子レンジで1分40秒~1分50秒加熱する。
2. ひじきとにんじんのそぼろ煮に水小さじ¼をふり、ラップをかけて電子レンジで40~50秒加熱する。1に混ぜる。

トマトのだし煮

材料
Ⓖ トマト 20g ＋ Ⓒ だし汁 大さじ1

作り方
1. トマトとだし汁を合わせ、ラップをかけて電子レンジで1分~1分20秒加熱して混ぜる。

金曜日 Friday

ひじきとそぼろの混ぜごはん
レンチンして混ぜるだけなのに豪華！
トマトのだし煮

80

カミカミ期 3〜4週目

土曜日 Saturday

ごま油&ごまでコクと風味をUP

ツナとキャベツとトマトのごまあえ

5倍がゆ

5倍がゆ
材料
- Ⓐ 5倍がゆ 70〜80g

作り方
1. 5倍がゆに水小さじ¼をふり、ラップをかけて電子レンジで1分40秒〜1分50秒加熱する。

ツナとキャベツとトマトのごまあえ
材料
- Ⓔ ツナ 10g
- Ⓕ キャベツ 20g
- Ⓖ トマト 20g
- ごま油 小さじ⅛
- 白すりごま 小さじ½

作り方
1. ツナとキャベツ、トマトを合わせ、ラップをかけて電子レンジで1分〜1分20秒加熱する。ごま油、ごまを加えて混ぜる。

日曜日 Sunday

とろみをつけて食べやすさUP

トマト
5倍がゆ
ひじきとにんじんのそぼろ煮

5倍がゆ
材料
- Ⓐ 5倍がゆ 70〜80g

作り方
1. 5倍がゆに水小さじ¼をふり、ラップをかけて電子レンジで1分40秒〜1分50秒加熱する。

ひじきとにんじんのそぼろ煮
材料
- Ⓓ ひじきとにんじんのそぼろ煮 1回分
- Ⓒ だし汁 大さじ2
- かたくり粉 適量

作り方
1. ひじきとにんじんのそぼろ煮とだし汁を合わせ、ラップをかけて電子レンジで2分〜2分20秒加熱する。
2. 水溶きかたくり粉を加えて混ぜ、ラップをかけて電子レンジで10〜20秒加熱して混ぜる。

トマト
材料
- Ⓖ トマト 20g

作り方
1. トマトに水小さじ¼をふり、ラップをかけて電子レンジで30〜40秒加熱する。

栄養価の高い
全卵にもチャレンジ！

カミカミ期
（9〜11カ月ごろ）

5〜6週目

1週間分（7食分）のストック食材

A 徐々に水分を減らして 5倍がゆ
白飯2カップ、水4カップ
白飯と水で5倍がゆを作り（→p.14）、70〜80gずつ保存容器に入れて冷凍する。

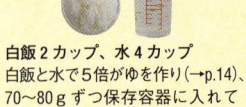

70〜80g×8〜9回

C 臭みをとって食べやすく まぐろのクリーム煮
材料 まぐろ（刺し身用サク）45g、バター3g、小麦粉大さじ½、牛乳½カップ、塩小さじ⅛

作り方
1. まぐろを熱湯でゆでて6〜7mm角に切り、バターを熱したフライパンで焼く。
2. 小麦粉を加えて全体にまぶし、牛乳を加えて混ぜ、とろみがつくまで煮て、塩を加えて混ぜる。3等分して保存容器に入れて冷凍する。

3回分

POINT 塩を混ぜることで、まぐろの臭みがなくなり食べやすい！

F 好みでマッシュしても かぼちゃ
120g（⅒個）
種、わたをのぞき、2〜3cm角に切る。電子レンジで2〜3分加熱する。皮をむいて粗くつぶし、ラップにのせて包む。4等分のすじ目をつけ、冷凍用保存袋に入れて冷凍する。＊20gずつ折って使う。

20g×4回

G 手づかみしたい子に スティック野菜
にんじん40g（⅓本）、大根40g（1.5cm厚さ1枚）
にんじんと大根はそれぞれ皮をむいて7mm角×4cm長さの棒状に切り、水から一緒にやわらかくゆでる。3本ずつラップで包み、冷凍用保存袋に入れて冷凍する。

各3本（計20g）×3回

B どんな料理にも合う！ だし汁
300ml
だし汁を作り（→p.15）、大さじ1ずつ製氷皿に入れて冷凍する。

大さじ1（15ml）×20回

POINT 冷凍後は、冷凍用保存袋に入れ替えよう。

D 塩味だけで使いやすい キャベツそぼろ
豚ひき肉45g、キャベツ70g（1枚）
キャベツは芯をのぞいて半分くらいの大きさにちぎり、熱湯でゆでて、7〜8mm大に切る。同じ湯にひき肉を入れ、菜箸で混ぜてほぐしながらゆでて、キャベツと混ぜる。3等分して保存容器に入れて冷凍する。

3回分

E 塩ゆでしてアクを取って ほうれん草
葉先75g（小1株）
葉先を熱湯でやわらかくゆでて水にさらす。水けをきって粗めのみじん切りにし、ラップで1本の棒状に包む。冷凍用保存袋に入れて冷凍する。＊15gずつ折って使う。

15g×5回

Plus 家にある食材

食パン（8枚切り） 耳はかたいので切り落として。できるだけ、よけいな添加物を使っていないものを選ぼう。

カッテージチーズ 低脂肪、高たんぱくなので、赤ちゃんにおすすめ！

卵 栄養価が高い食材。カミカミ期は全卵½個以下が目安。

牛乳 加熱すればOK！ 飲むなら1歳以降に。

バター 油脂のなかでも、乳脂肪は消化しやすいので赤ちゃん向き。できれば食塩不使用タイプを。

塩 指先につくくらいのごく少量を。

トマトケチャップ トマト味に仕上げたいときに。いろいろな調味料が含まれているので、少量を。

かたくり粉 とろみをつけたいときに使う。使い方はp.38参照。

月曜日 Monday

スティックパン
材料
食パン ½枚

作り方
1. 食パンは耳を切り落とし、スティック状に切る。

まぐろとほうれん草のクリーム煮
材料
C まぐろのクリーム煮 1回分 ＋ E ほうれん草 15g

作り方
1. まぐろのクリーム煮とほうれん草を合わせて水小さじ¼をふり、ラップをかけて電子レンジで50秒〜1分10秒加熱し、混ぜる。ラップをかけて電子レンジでさらに10秒加熱する。

パンをクリーム煮につけても◎

スティックパン　　まぐろとほうれん草のクリーム煮

火曜日 Tuesday

バターを合わせてコクUP !!

キャベツとそぼろのバターあえ

かぼちゃがゆ

カミカミ期
5〜6週目

かぼちゃがゆ

材料
- Ⓐ 5倍がゆ 70〜80g
- Ⓕ かぼちゃ 20g

作り方
1. 5倍がゆとかぼちゃを合わせて水小さじ¼をふり、ラップをかけて電子レンジで1分50秒〜2分10秒加熱し、混ぜる。

キャベツとそぼろのバターあえ

材料
- Ⓓ キャベツそぼろ 1回分
- バター 小さじ½
- 塩 少々

作り方
1. キャベツそぼろに水小さじ¼をふり、ラップをかけて電子レンジで40〜50秒加熱する。
2. バター、塩を加えて混ぜ、ラップをかけて電子レンジで10〜20秒加熱して混ぜる。

水曜日 Wednesday

かわいい見た目に食欲増進！

野菜ロールサンド　ひき肉とキャベツのスープ

野菜ロールサンド

材料
- Ⓖ スティック野菜 20g
- 食パン ½枚
- トマトケチャップ 小さじ½
- カッテージチーズ 小さじ1

作り方
1. スティック野菜に水小さじ¼をふり、ラップをかけて電子レンジで30〜40秒加熱する。
2. 食パンは耳を切り落とし、ラップにのせる。食パンにケチャップを薄くぬり、1とカッテージチーズをのせてラップごと端から巻く。食べやすい大きさに切る。

ひき肉とキャベツのスープ

材料
- Ⓓ キャベツそぼろ 1回分
- Ⓑ だし汁 大さじ3
- 塩 少々
- かたくり粉 適量

作り方
1. キャベツそぼろとだし汁を合わせ、ラップをかけて電子レンジで2分30秒〜2分40秒加熱して混ぜる。
2. 塩、水溶きかたくり粉を加えて混ぜ、ラップをかけて電子レンジで10〜20秒加熱して混ぜる。

5倍がゆ

材料 Ⓐ 5倍がゆ 70〜80g

作り方
1. 5倍がゆに水小さじ¼をふり、ラップをかけて電子レンジで1分40秒〜1分50秒加熱する。

キャベツとそぼろのとろみあん

材料
Ⓓ キャベツそぼろ 1回分 ＋ Ⓑ だし汁 大さじ1 ＋ 塩 少々 / かたくり粉 適量

作り方
1. キャベツそぼろとだし汁を合わせ、ラップをかけて電子レンジで1分30秒〜1分50秒加熱する。塩、水溶きかたくり粉を加えて混ぜ、ラップをかけて電子レンジで10〜20秒加熱する。

かぼちゃのスープ

材料
Ⓕ かぼちゃ 20g ＋ Ⓑ だし汁 大さじ3 ＋ 牛乳 大さじ1 / 塩 少々

作り方
1. かぼちゃとだし汁を合わせ、ラップをかけて電子レンジで2分20秒〜2分30秒加熱する。牛乳、塩を加えて混ぜる。ラップをかけて電子レンジでさらに30〜40秒加熱して混ぜる。

木曜日 Thursday
- 5倍がゆ
- かぼちゃのスープ
- キャベツとそぼろのとろみあん

とろみあんは、かゆにのせても美味

かぼちゃのサンドイッチ

材料
Ⓕ かぼちゃ 20g ＋ カッテージチーズ 小さじ1 / 食パン ¾枚

作り方
1. かぼちゃに水小さじ¼をふり、ラップをかけて電子レンジで30〜40秒加熱し、カッテージチーズを混ぜる。
2. 食パンは耳を切り落として、6等分に切り、2枚1組にして1をはさむ。

まぐろとほうれん草のスープ

材料
Ⓒ まぐろのクリーム煮 1回分 ＋ Ⓔ ほうれん草 15g ＋ Ⓑ だし汁 大さじ2

作り方
1. まぐろのクリーム煮とほうれん草、だし汁を合わせ、ラップをかけて電子レンジで1分50秒〜2分10秒加熱して混ぜる。

金曜日 Friday

手づかみ食べにチャレンジ

- かぼちゃのサンドイッチ
- まぐろとほうれん草のスープ

スティック状で
かじりとりの
練習に

土曜日
Saturday

スティック野菜

まぐろとほうれん草の
パングラタン

カミカミ期
5〜6週目

日曜日
Sunday

手づかみ
しやすい
サイズに丸めて

かぼちゃのチーズボール

ほうれん草卵がゆ

まぐろとほうれん草のパングラタン

材料

Ⓒ まぐろのクリーム煮 1回分 ＋ Ⓔ ほうれん草 15g ＋ 食パン ¼枚 カッテージチーズ 小さじ½

作り方

1. まぐろのクリーム煮とほうれん草を合わせて水小さじ¼をふり、ラップをかけて電子レンジで1分20秒〜1分30秒加熱して混ぜる。
2. 食パンは耳を切り落として7〜8mm角に切り、耐熱皿に敷く。1をかけ、カッテージチーズをちらしてオーブントースターで3〜4分焼く。

スティック野菜

材料

Ⓖ スティック野菜 20g ＋ トマトケチャップ 小さじ¼

作り方

1. スティック野菜に水小さじ¼をふり、ラップをかけて電子レンジで30〜40秒加熱し、ケチャップをそえる。

ほうれん草卵がゆ

材料

Ⓐ 5倍がゆ 70〜80g ＋ Ⓔ ほうれん草 15g ＋ 溶き卵 ¹⁄₁₀個分(6g)

作り方

1. 5倍がゆとほうれん草を合わせて水小さじ¼をふり、ラップをかけて電子レンジで1分50秒〜2分10秒加熱し、混ぜる。
2. 溶き卵をのせ、ラップをかけて電子レンジで30秒加熱して混ぜる。

POINT 卵には火をしっかり通すこと！ 火が通っていなかったら、ようすを見ながら電子レンジで10秒ずつ加熱する。

かぼちゃのチーズボール

材料

Ⓕ かぼちゃ 20g ＋ カッテージチーズ 小さじ1

作り方

1. かぼちゃに水小さじ¼をふり、ラップをかけて電子レンジで30〜40秒加熱する。カッテージチーズを加えて混ぜ、3〜4等分に丸める。

カミカミ期（9～11カ月ごろ）

7～8週目

手づかみ食べに挑戦したい時期。おにぎりにもトライ！

1週間分（7食分）のストック食材

A 5倍がゆ（増量しても◎）
白飯2カップ、水4カップ
白飯と水で5倍がゆを作り（→p.14）、70～80gずつ保存容器に入れて冷凍する。

70～80g×8～9回

C 麻婆なす（定番料理に挑戦！）
材料 なす100g（中1本）、豚ひき肉30g、ごま油小さじ1、**A**（だし汁¼カップ、砂糖小さじ½、みそ小さじ½）

作り方
1. なすは皮をむいて5～6mm角に切り、水にさらす。
2. フライパンにごま油を熱し、ひき肉となすを炒める。Aを加えて水けがなくなるまで煮て、3等分して保存容器に入れて冷凍する。

3回分

E 小松菜（アク抜きせずOK）
葉先60g（⅓株）
葉先を熱湯でやわらかくゆでて水にさらす。水けをきって7～8mm大に切り、ラップで1本の棒状に包む。冷凍用保存袋に入れる。
＊15gずつ折って使う。

15g×4回

F さつまいも（棒状でアレンジ自在）
100g（太め4cm厚さ）
皮を厚めにむいて水に5分ほどさらし、7mm角×4cm長さに切る。水からややかために ゆでる。6本ずつラップで包み、冷凍用保存袋に入れて冷凍する。

6本（25g）×3回

G 野菜ミックス（3つの野菜をミックス！）
かぶ100g（1個）、パプリカ（黄、赤）各15g（各⅒個）
かぶは茎を根元から切り落とし、皮をむいて7mm角に切る。パプリカは種とへたをのぞき、皮をピーラーなどでむいて7mm角に切る。かぶとパプリカを熱湯で一緒にゆでて4等分し、保存容器に入れて冷凍する。

25g×4回

B そうめん（ちゅるんと食べやすい）
乾麺50g（1束）
熱湯でやわらかくくたくたにゆでて、1cm長さに切る。2等分してラップで包み、冷凍用保存袋に入れて冷凍する。

60g×2回

D たらコロッケ（揚げ焼きで油を少なく！）
材料 たら30g、じゃがいも80g（中½個）、塩少々、小麦粉大さじ2、パン粉適量、オリーブ油大さじ⅔

作り方
1. たらを熱湯でゆで、皮、骨をのぞいてほぐす。じゃがいもは皮をむいて3cm角に切り、水からゆでてつぶす。
2. 1のたらとじゃがいもに塩を加えてよく混ぜ、9等分して俵型にする。水大さじ2で溶いた小麦粉をつけ、パン粉を薄くまぶす。
3. フライパンにオリーブ油を熱し、2を入れて転がしながら全面を焼く。焼き色がついたら取り出して油をきる。3個ずつラップで包み、冷凍用保存袋に入れて冷凍する。

3個×3回

Plus 家にある食材

卵 栄養価が高い食品。カミカミ期は全卵½個以下が目安。

豆腐 赤ちゃんには、舌ざわりのなめらかな絹ごし豆腐を。

バナナ 甘みがあり、赤ちゃんの好きな味。糖質が多いので、主食も兼ねて。

かつおぶし かつおのおいしさがつまっている。うまみをプラスしたいときに。

粉チーズ 塩分、脂肪分が多いので、使うのはごく少量に。

バター 油脂のなかでも、乳脂肪は消化しやすいので赤ちゃん向き。できれば食塩不使用タイプを。

ごま油 ごまの風味が味のアクセントに。

しょうゆ 塩分を含むので、使用量に注意して。

かたくり粉 とろみをつけたいときに使う。使い方はp.38参照。

月曜日 Monday

麻婆なすと小松菜のそうめん

材料 C 麻婆なす（1回分） ＋ E 小松菜 15g ＋ B そうめん 60g ＋ かたくり粉 適量

作り方
1. 麻婆なすと小松菜を合わせて水小さじ¼をふり、ラップをかけて電子レンジで1分20秒～1分30秒加熱する。水溶きかたくり粉を加えて混ぜ、ラップをかけて電子レンジで10秒～20秒加熱して混ぜる。
2. そうめんに水少々をふり、ラップをかけて電子レンジで1分10秒～1分30秒加熱する。1をのせる。

さつまいもスティック

材料 F さつまいも 25g

作り方
1. さつまいもに水小さじ¼をふり、ラップをかけて電子レンジで30～40秒加熱する。

麻婆なすをそうめんにからめて！

さつまいもスティック

麻婆なすと小松菜のそうめん

火曜日 Tuesday

小松菜にバターの深い味わいを

小松菜のバターあえ

麻婆なす

5倍がゆ

カミカミ期 7〜8週目

5倍がゆ

材料
Ⓐ 5倍がゆ 70〜80g

作り方
1. 5倍がゆに水小さじ¼をふり、ラップをかけて電子レンジで1分40秒〜1分50秒加熱する。

小松菜のバターあえ

材料
Ⓔ 小松菜 15g ＋ バター 小さじ⅛

作り方
1. 小松菜に水小さじ¼をふり、ラップをかけて電子レンジで30〜40秒加熱する。バターを加えて混ぜ、ラップをかけて電子レンジで10〜20秒加熱して混ぜる。

麻婆なす

材料
Ⓒ 麻婆なす 1回分 ＋ かたくり粉 適量

作り方
1. 麻婆なすに水小さじ¼をふり、ラップをかけて電子レンジで1分〜1分20秒加熱する。水溶きかたくり粉を加えて混ぜ、ラップをかけて電子レンジで10〜20秒加熱して混ぜる。

水曜日 Wednesday

赤ちゃんがつかめるサイズににぎろう

たらコロッケ　**さつまいもスティック**

小松菜おかかおにぎり

小松菜おかかおにぎり

材料
Ⓐ 5倍がゆ 70〜80g ＋ Ⓔ 小松菜 15g ＋ かつおぶし ふたつまみ

作り方
1. 5倍がゆと小松菜を合わせて水小さじ¼をふり、ラップをかけて電子レンジで1分50秒〜2分10秒加熱する。かつおぶしを加えて混ぜ、2等分してラップに包んでにぎる。

たらコロッケ

材料
Ⓓ たらコロッケ 1回分

作り方
1. たらコロッケにラップをかけ、電子レンジで50秒〜1分加熱する。＊さらにオーブントースターで軽く焼くと、カリッと仕上がる。

さつまいもスティック

材料
Ⓕ さつまいも 25g

作り方
1. さつまいもに水小さじ¼をふり、ラップをかけて電子レンジで30〜40秒加熱する。

木曜日 Thursday ★★★

5倍がゆ
材料
Ⓐ 5倍がゆ 70〜80g

作り方
1. 5倍がゆに水小さじ¼をふり、ラップをかけて電子レンジで1分40秒〜1分50秒加熱する。

たらコロッケ
材料
Ⓓ たらコロッケ 1回分

作り方
1. たらコロッケにラップをかけ、電子レンジで50秒〜1分加熱する。＊さらにオーブントースターで軽く焼くと、カリッと仕上がる。

パプリカ＆かぶのチーズあえ
材料
Ⓖ 野菜ミックス 25g ＋ 粉チーズ 小さじ½

作り方
1. 野菜ミックスを電子レンジで40〜50秒加熱し、粉チーズを加えて混ぜる。

チーズでコクをプラス

金曜日 Friday ★★★

そうめんチャンプルー
材料
Ⓑ そうめん 60g ＋ Ⓖ 野菜ミックス 25g ＋ ごま油 小さじ½／溶き卵 ¼個分(15g)／かつおぶし ふたつまみ／しょうゆ 2〜3滴

作り方
1. そうめんと野菜ミックスを合わせて水小さじ¼をふり、ラップをかけて電子レンジで1分40秒〜2分加熱する。
2. ごま油を加えて混ぜ、溶き卵を加えて混ぜ、ラップをかけて電子レンジで40〜50秒加熱してよく混ぜる。かつおぶしとしょうゆを加えて混ぜる。

POINT 卵には火をしっかり通すこと！ 火が通っていなかったら、ようすを見ながら電子レンジで10秒ずつ加熱する。

さつまいもバナナ
材料
Ⓕ さつまいも 25g ＋ バナナ ¼本(25g)

作り方
1. さつまいもに水小さじ¼をふり、ラップをかけて電子レンジで40〜50秒加熱し、粗くつぶす。バナナをつぶして加え、混ぜる。

かつおぶしで滋味深く仕上げて！

88

土曜日 Saturday

5倍がゆ

かぶとパプリカの
おかかあえ

さくさくの
食感を
楽しんで！

たらコロッケ

カミカミ期 7〜8週目

日曜日 Sunday

麻婆豆腐なすを
かゆにのせたり
混ぜてもOK

5倍がゆ

麻婆豆腐なす

バナナ

5倍がゆ

材料
Ⓐ 5倍がゆ 70〜80g

作り方
1. 5倍がゆに水小さじ¼をふり、ラップをかけて電子レンジで1分40秒〜1分50秒加熱する。

たらコロッケ

材料
Ⓓ たらコロッケ 1回分

作り方
1. たらコロッケにラップをかけ、電子レンジで50秒〜1分加熱する。＊さらにオーブントースターで軽く焼くと、カリッと仕上がる。

かぶとパプリカのおかかあえ

材料
Ⓖ 野菜ミックス 25g
＋ かつおぶし ひとつまみ
ごま油 小さじ¼

作り方
1. 野菜ミックスに水小さじ¼をふり、ラップをかけて電子レンジで40〜50秒加熱する。かつおぶしとごま油を加えて混ぜる。

5倍がゆ

材料
Ⓐ 5倍がゆ 70〜80g

作り方
1. 5倍がゆに水小さじ¼をふり、ラップをかけて電子レンジで1分40秒〜1分50秒加熱する。

麻婆豆腐なす

材料
Ⓒ 麻婆なす 1回分
＋ 豆腐 15g
かたくり粉 適量

作り方
1. 麻婆なすに水小さじ¼をふり、ラップをかけて電子レンジで1分〜1分20秒加熱する。
2. 豆腐を7〜8mm角に切って1に加え、ラップをかけて電子レンジで10〜20秒加熱する。水溶きかたくり粉を加えて混ぜ、ラップをかけて電子レンジで15〜25秒加熱して混ぜる。

バナナ

材料 バナナ ¼本(25g)

作り方
1. バナナは1cm大の角切りにする。

パクパク期
（1歳～1歳6カ月ごろ）

卒乳して、離乳食も卒業準備へ。自分で食べるようにサポートを！

手づかみ食べまっさかり。自分の手で食べものを口に運ぶ練習をする時期です。1日3回、大人と一緒に食べましょう。

赤ちゃんのタイムスケジュール

例）
- 8:00　離乳食 1回目
- 10:00　おやつ＋牛乳
- 12:00　離乳食 2回目
- 15:00　おやつ＋牛乳
- 18:00　離乳食 3回目

- 朝昼夜・1日3回、規則正しく食べます
- 家族と一緒に食べましょう
- おっぱい・ミルクは続けても構いませんが、体重が増えづらければ卒乳します
- 午後におやつを。おやつは1日2回（午前、午後各1回）でもよいでしょう

座り方

安定感のあるイスに座って

食事中も立ち動こうとする時期なので、ひとりで出られないイスを使うのが安全です。ひじがテーブルにつき、足が床や板に届くよう、成長に合わせて細やかに調節できるものがベスト。

かたさの目安はバナナくらい

前歯でかみ切ることができるようになってきますが、まだ奥歯が生えていないことがほとんど。子どもは歯ぐきでつぶして食べます。なので、かたさはカミカミ期と同様、バナナが目安です。前歯でかみ切れる平らな形なら、多少大きめでも大丈夫です。

前歯でかむことを覚えます

前歯でかみ切ることを覚える時期です。徐々にひと口で食べられる量を子ども自身が覚えていきます。慣れないうちは口に入れすぎてしまうことがありますが、それも勉強。ひと口サイズのものばかり食べていると前歯でかみ切る練習になりません。

手づかみ食べが自信につながる

自分で食べられたという体験が子どもの自信につながり、食べる意欲がますますわきます。手づかみ食べしやすいスティック状やだんご状のメニューを。コップも使えるようになる時期なので、こぼしてしまってもあせらず、練習していきましょう。

スプーンの練習もスタート

手づかみ食べが上手になり、スプーンやフォークを使って自分で食べようとする時期。食べるのが遅くてもあたたかく見守りましょう。持ち方がまちがっていても、まだ直さなくて大丈夫。上手に使えるのは2～3歳。1歳のうちはまず慣れることです。

次のステップ（幼児食）に進む目安
赤ちゃんの状態をチェック！

- ☑ 食べものを前歯でかみ切って、歯ぐきでかんでつぶして食べている
- ☑ 自分でコップを持ち、牛乳などの飲みものが飲めている
- ☑ スプーン、フォークで自分で食べるようになっている

1食分の量とかたさの目安

1日3食を食べ、体重が増えていれば、量が少なくても大丈夫。
食が細い子どもには、おやつにエネルギー源食品を与えましょう。

実物大

パクパク期

後半

ビタミン・ミネラル源
にんじん 拍子木切り

皮をむいてやわらかくゆでたにんじんを1cm角×3～4cm長さに切り、だし汁で煮る。野菜の量の目安は50g（大さじ3強）。

たんぱく質源
豆腐 厚切り

絹ごし豆腐を8～9mm厚さに切り、だし汁で煮る。量の目安は55g（大さじ3強）。魚や肉なら20g（小さじ5）。赤ちゃんは消化器機能が未発達なので、たんぱく質源の過剰摂取は厳禁です。

エネルギー源
ごはん 軟飯

白飯と水で軟飯を作る（→p.14）。量の目安は80～90g（大さじ5 1/3～6）。パンは耳をのぞいたもの1枚（20g）、うどん、そうめんはゆでたもの80～90g（大さじ5～6）、パスタはゆでたもの70～80g（大さじ4 2/3～5 1/3）。

前半

ビタミン・ミネラル源
にんじん 角切り

皮をむいてやわらかくゆでたにんじんを1cm角に切り、だし汁で煮る。野菜の量の目安は40g（大さじ2強）。

たんぱく質源
豆腐 厚切り

絹ごし豆腐を7～8mm厚さに切り、だし汁で煮る。量の目安は50g（大さじ3弱）。魚や肉なら15～20g（小さじ4～5）。赤ちゃんは消化器機能が未発達なので、たんぱく質源の過剰摂取は厳禁です。

エネルギー源
ごはん 軟飯

白飯と水で軟飯を作る（→p.14）。量の目安は80～90g（大さじ5 1/3～6）。パンは耳をのぞいたもの1枚（20g）、うどん、そうめんはゆでたもの70～80g（大さじ4 1/2～5 1/2）、パスタはゆでたもの60～70g（大さじ4～4 2/3）。

前歯でかみきる力がアップ！
いろんな食感を体験させよう

パクパク期
（1歳～1歳6カ月ごろ）

1～2週目

1週間分(7食分)＋おやつのストック食材

A 白飯の一歩手前
軟飯

白飯2½カップ、水2カップ
白飯と水で軟飯を作り(→p.14)、80～90gずつ保存容器に入れて冷凍する。

80～90g×6～7回

C 応用しやすくストック向き
ホワイトソース

160ml
ホワイトソースを作り(→p.16)、大さじ1ずつ保存容器に入れて冷凍する。

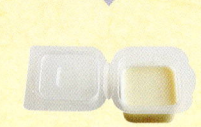

大さじ1(15ml)×10～11回

POINT
冷凍後は、冷凍用保存袋に入れ替えよう。

E むね肉に慣れたら挑戦！
鶏もも肉

100g(大⅓枚)
皮と脂肪を取りのぞき、熱湯で3～4分ゆでて7～8mm角に切る。4等分して保存容器に入れて冷凍する。

20g×4回

F ひじきのうまみを味わう
ひじきにんじん

材料　乾燥芽ひじき5g、にんじん80g(大½本)

作り方
1 ひじきは30分以上水につけてもどす。にんじんは皮をむいて2mm厚さのいちょう切りにし、水からやわらかくゆでて沸騰したらひじきも加えて4～5分ゆでる。5等分して保存容器に入れて冷凍する。

5回分

G 甘みがあっておいしい
白菜

80g(1枚)
芯をのぞいて半分くらいの大きさに切る。熱湯でやわらかくゆでて、1cm大に切る。ラップで1本の棒状に包み、冷凍用保存袋に入れる。
＊20gずつ折って使う。

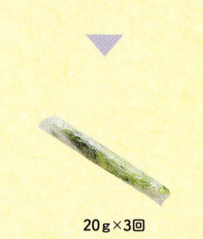

20g×3回

B おかずが増えて大活躍
だし汁

300ml
だし汁を作り(→p.15)、大さじ1ずつ製氷皿に入れて冷凍する。

大さじ1(15ml)×20回

POINT
冷凍後は、冷凍用保存袋に入れ替えよう。

D 薄い甘辛味で食が進む
めかじきの照り焼き

材料　めかじき50g、小麦粉適量、オリーブ油小さじ1、A(だし汁大さじ1、しょうゆ、砂糖各小さじ¼)

作り方
1 めかじきは1cm角に切って小麦粉をまぶし、余分な粉を落とす。フライパンにオリーブ油を熱し、めかじきを焼く。
2 Aを加えて煮立たせて汁けがなくなるまで煮詰める。5等分して保存容器に入れて冷凍する。

5回分

＋Plus 家にある食材

食パン（8枚切り）
耳はかたいので切り落として。できるだけ、よけいな添加物を使っていないものを選ぼう。

卵
栄養価が高い食材。パクパク期は全卵½～⅔個以下が目安。

牛乳
1歳以降は加熱して調理に使うのも、飲むのもOK！

プチトマト
1個から使えて便利。へたをのぞき、皮は必ずむいて切って使う。

きなこ
大豆の粉なので、栄養満点！香ばしさで食欲が進む。

粉チーズ
塩分、脂肪分が多いので、使うのはごく少量に。

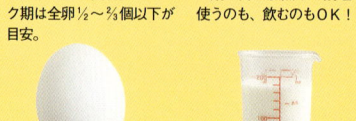

白すりごま
おかゆや野菜と混ぜて。ミネラルが豊富！

塩
塩分は赤ちゃんの腎臓に負担になるので、使いすぎに注意。

砂糖
砂糖は赤ちゃんの体の負担になるので、ごく少量を。

しょうゆ
塩分を含むので使いすぎに注意。

オリーブ油
サラダ油よりも、熱に強く酸化しないオリーブ油がおすすめ。

ごま油
ごまの風味があるので、味のアクセントに。

パクパク期 1〜2週目

月曜日 Monday

具だくさんスープで栄養満点！

- 軟飯
- 白菜と鶏肉のクリームスープ
- プチトマト

軟飯
材料
A 軟飯 80〜90g

作り方
1. 軟飯に水小さじ½をふり、ラップをかけて電子レンジで1分50秒〜2分10秒加熱する。

白菜と鶏肉のクリームスープ
材料
G 白菜  20g ＋ E 鶏もも肉  20g ＋ B だし汁  大さじ2 ＋ C ホワイトソース  大さじ2

作り方
1. 白菜と鶏もも肉、だし汁、ホワイトソースを合わせ、ラップをかけて電子レンジで2分〜2分20秒加熱して混ぜる。

プチトマト
材料
プチトマト 2個

作り方
1. プチトマトはへたをのぞき、熱湯で湯むきして(→p.23)半分に切る。

火曜日 Tuesday

めかじきに卵のうまみをプラス

- めかじきの卵炒め
- スティックパン
- ひじきとにんじんのソテー

スティックパン
材料
食パン ½枚

作り方
1. 食パンは耳を切り落とし、スティック状に切る。

めかじきの卵炒め
材料
D めかじきの照り焼き 1回分 ＋ オリーブ油 小さじ½ 溶き卵 ⅛個分(12g)

作り方
1. めかじきの照り焼きに水小さじ½をふり、ラップをかけて電子レンジで30〜40秒加熱する。
2. フライパンにオリーブ油を熱して溶き卵を入れて炒め、1を加えてさっと炒め混ぜる。

POINT 卵はしっかり加熱！

ひじきとにんじんのソテー
材料
F ひじきにんじん 1回分 ＋ オリーブ油 小さじ½ 塩 少々

作り方
1. ひじきにんじんに水小さじ½をふり、ラップをかけて電子レンジで40〜50秒加熱する。
2. フライパンにオリーブ油を熱し、1を入れて炒め、塩を加えて混ぜる。

軟飯

材料
Ⓐ 軟飯 80〜90g

作り方
1. 軟飯に水小さじ½をふり、ラップをかけて電子レンジで1分50秒〜2分10秒加熱する。

チキンのクリームソース

材料
Ⓔ 鶏もも肉 20g ＋ Ⓒ ホワイトソース 大さじ1

作り方
1. 鶏もも肉、ホワイトソースそれぞれに水小さじ½をふり、ラップをかけて電子レンジで1分30秒〜1分40秒ずつ加熱する。鶏もも肉にホワイトソースをかける。

ひじきとにんじんのチーズあえ

材料
Ⓕ ひじきにんじん 1回分 ＋ 粉チーズ 小さじ¼

作り方
1. ひじきにんじんに水小さじ½をふり、ラップをかけて電子レンジで1分20秒〜1分30秒加熱する。粉チーズを加えて混ぜる。

水曜日 Wednesday

粉チーズでコク出し。食べやすさもUP

ひじきとにんじんのチーズあえ

軟飯

チキンのクリームソース

めかじきと白菜のパングラタン

材料
Ⓓ めかじきの照り焼き 2回分 ＋ Ⓖ 白菜 20g ＋ Ⓒ ホワイトソース 大さじ1 ＋ 食パン ¼枚分 / 牛乳 小さじ½ / 粉チーズ 小さじ½

作り方
1. めかじきの照り焼きと白菜、ホワイトソースを合わせて水小さじ½をふり、ラップをかけて電子レンジで1分〜1分20秒加熱する。
2. 食パンは耳を切り落とし、1cm角に切って耐熱容器に入れ、牛乳をふって1をかけ、粉チーズをふる。オーブントースターで4〜5分焼く。

ひじきとにんじんのスープ

材料
Ⓕ ひじきにんじん 1回分 ＋ Ⓑ だし汁 大さじ3 ＋ 塩 少々

作り方
1. 小鍋にだし汁を入れて火にかけ、溶けたらひじきにんじんを加える。ひじきにんじんが溶けて煮立ったら塩を加えて混ぜる。

ホワイトソースをかけて焼くだけ！

めかじきと白菜のパングラタン

ひじきとにんじんのスープ

木曜日 Thursday

94

金曜日 Friday

卵は合わせやすいので、応用して

ひじきとにんじんの卵とじ

軟飯

白菜のナムル

パクパク期 1～2週目

軟飯

材料
- Ⓐ 軟飯 80~90g

作り方
1. 軟飯に水小さじ½をふり、ラップをかけて電子レンジで1分50秒～2分10秒加熱する。

ひじきとにんじんの卵とじ

材料
- Ⓕ ひじきにんじん 1回分
- ＋ オリーブ油 小さじ½
- 溶き卵 ⅙個分(12g)
- しょうゆ 2滴

作り方
1. ひじきにんじんに水小さじ½をふり、ラップをかけて電子レンジで40～50秒加熱する。
2. フライパンにオリーブ油を熱し、1を入れてさっと炒める。
3. 溶き卵にしょうゆを加えて混ぜ、2に加えてさっと炒める。

POINT 卵にはしっかり火を通すこと！

白菜のナムル

材料
- Ⓖ 白菜 20g
- ＋ 塩 少々
- ごま油 小さじ⅙
- 白すりごま 小さじ½

作り方
1. 白菜に水小さじ½をふり、ラップをかけて電子レンジで50秒～1分加熱する。残りの材料を加えて混ぜる。

土曜日 Saturday

ひじきとにんじんの混ぜごはん

レンチンだけで1品できあがり！

めかじきの照り焼き

ひじきとにんじんの混ぜごはん

材料
- Ⓐ 軟飯 80~90g
- Ⓕ ひじきにんじん 1回分
- ＋ しょうゆ 小さじ¼
- 砂糖 小さじ¼

作り方
1. 軟飯に水小さじ½をふり、ラップをかけて1分50秒～2分10秒加熱する。
2. ひじきにんじんに水小さじ½をふり、ラップをかけて電子レンジで1分20秒～1分30秒加熱する。1、しょうゆ、砂糖と混ぜる。

めかじきの照り焼き

材料
- Ⓓ めかじきの照り焼き 2回分

作り方
1. めかじきの照り焼きに水小さじ½をふり、ラップをかけて電子レンジで40～50秒加熱する。

95

親子丼

材料

- Ⓐ 軟飯 80〜90g
- Ⓔ 鶏もも肉 20g
- Ⓑ だし汁 大さじ2
- しょうゆ 小さじ½
- 溶き卵 ⅓個分(20g)
- 砂糖 小さじ½

作り方

1. 軟飯に水小さじ½をふり、ラップをかけて電子レンジで1分50秒〜2分10秒加熱する。
2. 鶏もも肉とだし汁を合わせ、ラップをかけて電子レンジで1分30秒〜1分40秒加熱する。砂糖、しょうゆを加えて混ぜる。
3. 2に溶き卵を加え、ラップをかけて電子レンジで40〜50秒加熱する。卵に火がしっかり通ったら1にのせる。

POINT 卵には火をしっかり通すこと! 火が通っていなかったら、ようすを見ながら電子レンジで10秒ずつ加熱する。

日曜日 Sunday

大人も一緒に楽しめます!

親子丼

プチトマトのごまあえ

材料

- プチトマト 2個
- 白すりごま 小さじ½
- 砂糖 少々
- 塩 少々

作り方

1. プチトマトはへたをのぞき、熱湯で湯むきして(→p.23)半分に切る。残りの材料を加えて混ぜる。

プチトマトのごまあえ

ごはんもち

材料

- Ⓐ 軟飯 80〜90g
- きなこ 小さじ1
- 砂糖 小さじ½
- 塩 少々

※6個(2回分)できあがる。保存するときは冷蔵で3日、冷凍で1週間を目安に。

作り方

1. 軟飯に水小さじ½をふり、ラップをかけて電子レンジで1分50秒〜2分10秒加熱する。粗熱がとれたらポリ袋に入れてつぶし、6等分してひと口サイズのだんご状に丸める。
2. 残りの材料を混ぜ合わせ、1のだんごのまわりにまぶしつける。

きなこ砂糖がおいしい

おやつ Oyatsu

ごはんもち

3〜4週目 パクパク期（1歳〜1歳6カ月ごろ）

牛肉やあじに挑戦！たんぱく質の種類がぐっと増えます

1週間分(7食分)＋おやつのストック食材

A 量は子どもに合わせて 軟飯

白飯2½カップ、水2カップ
白飯と水で軟飯を作り（→p.14）、80〜90gずつ保存容器に入れて冷凍する。

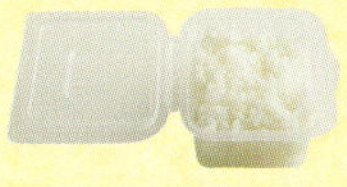

80〜90g×6〜7回

C 肉のうまみたっぷり 牛すき煮

材料　牛もも薄切り肉80g、春雨30g、A（だし汁½カップ、砂糖、しょうゆ各大さじ½）

作り方
1 牛肉は1cm大に切る。春雨は水でもどして1cm長さに切る。
2 小鍋に1、Aを加えて煮る。4等分して保存容器に入れて冷凍する。

4回分

E 青魚にチャレンジ！ あじ

200g（中1尾）
内臓を取りのぞき、魚焼きグリルで7〜8分ほど焼く。皮や骨、血合いを取りのぞき、1cm大にほぐす。20gずつラップで包み、冷凍用保存袋に入れて冷凍する。

20g×4回

F つぶすとアレンジ自在 じゃがいも

150g（中1個）
皮をむいて3cm角に切り、水からゆでてつぶす。25gずつラップで包み、冷凍用保存袋に入れて冷凍する。

25g×5回

G 酸味と甘さで食べやすく トマト

140g（大1個）
へたをのぞき、熱湯で湯むきして（→p.23）種をのぞき、1cm角に切る。20gずつ保存容器に入れて冷凍する。

20g×6回

B 野菜スープで代用OK！ だし汁

300ml
だし汁を作り（→p.15）、大さじ1ずつ製氷皿に入れて冷凍する。

大さじ1(15ml)×20回

POINT 冷凍後は、冷凍用保存袋に入れ替えよう。

D 根菜でかむ力をUP 根菜ミックス

ごぼう30g（太め6cm長さ）、にんじん30g（⅕本）、大根30g（厚さ1cm）
ごぼうは皮をむいて3〜4mm角×2cm長さの細切りにして水にさらす。にんじん、大根もごぼうと同じ大きさに切る。ごぼう、にんじん、大根を水から一緒にゆでる（沸騰してから6〜7分）。4等分して保存容器に入れて冷凍する。

20g×4回

POINT ごぼうはささがきも食べやすくおすすめ。

Plus 家にある食材

食パン（8枚切り）
耳はかたいので切り落として。できるだけ、よけいな添加物を使っていないものを選ぼう。

牛乳
1歳以降は加熱して調理に使うのも、飲むのもOK！

ピザ用チーズ
塩分、脂肪分が多いので、小さじ1（4〜5g）以下に。

粉チーズ
塩分、脂肪分が多いので、使うのはごく少量に。

乾燥わかめ
水でもどすだけで使いやすい。塩蔵わかめは塩分が多いので避けて。

焼きのり
飲み込みづらいので、使うときは小さくちぎって。味つきのりは使用不可。

かたくり粉
とろみをつけたいときに使う。使い方はp.38参照。

しょうゆ
塩分を含むので使いすぎに注意。

マヨネーズ
生卵を含むので1歳まではしっかり火を通すこと。

オリーブ油
サラダ油よりも、熱に強く酸化しないオリーブ油がおすすめ。

ごま油
ごまの風味があるので、味のアクセントに。

みそ
塩分を含むので使いすぎに注意。だし入りは添加物が入っているので避けて。

塩
塩分は赤ちゃんの腎臓に負担になるので、使いすぎに注意。

月曜日 Monday

軟飯おにぎり

材料
- Ⓐ 軟飯 80〜90g
- ＋ 塩 少々
- 焼きのり 2〜3cm四方

作り方
1. 軟飯に水小さじ½をふり、ラップをかけて電子レンジで1分50秒〜2分10秒加熱する。2等分してラップに包んで俵型ににぎり、塩を全体に軽くまぶし、ちぎったのりをつける。

トマト肉じゃが

じゃがいもを合わせて、肉じゃがに変身！

材料
- Ⓒ 牛すき煮 1回分
- ＋ Ⓕ じゃがいも 25g
- ＋ Ⓖ トマト 20g

作り方
1. 牛すき煮とじゃがいも、トマトを合わせて水小さじ½をふり、ラップをかけて電子レンジで1分40秒〜2分加熱して混ぜる。ラップをかけて電子レンジでさらに10〜20秒加熱して混ぜる。

火曜日 Tuesday

ご飯、魚、みそ汁の和風献立が完成

軟飯

材料
- Ⓐ 軟飯 80〜90g

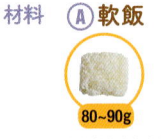

作り方
1. 軟飯に水小さじ½をふり、ラップをかけて電子レンジで1分50秒〜2分10秒加熱する。

あじのグリル、トマト添え

材料
- Ⓔ あじ 20g
- ＋ Ⓖ トマト 20g
- ＋ しょうゆ 2滴

作り方
1. あじに水小さじ½をふり、ラップをかけて電子レンジで50秒〜1分加熱する。
2. トマトに水小さじ½をふり、ラップをかけて電子レンジで30〜40秒加熱し、しょうゆを混ぜる。

根菜のみそ汁

材料
- Ⓓ 根菜ミックス 20g
- ＋ Ⓑ だし汁 大さじ3
- ＋ みそ 小さじ⅙

作り方
1. 小鍋にだし汁を入れて火にかけ、溶けたら根菜ミックスを加える。根菜ミックスが溶けて煮立ったら火を止め、みそを溶き入れる。

水曜日
Wednesday

スティックパン

焼いている間は手があいてうれしい

じゃがいものミルクスープ

あじのトマトチーズ焼き

パクパク期
3〜4週目

木曜日
Thursday

軟飯

すき煮は何を合わせてもおいしい！

トマトとわかめのサラダ

牛肉と根菜のすき煮

スティックパン

材料
食パン ¾枚

作り方
1. 食パンは耳を切り落とし、スティック状に切る。

あじのトマトチーズ焼き

材料
Ⓔ あじ 20g ＋ Ⓖ トマト 20g ＋ ピザ用チーズ 3g

作り方
1. あじとトマトを合わせて水小さじ½をふり、ラップをかけて電子レンジで50秒〜1分加熱する。耐熱容器に移し、ピザ用チーズをのせてオーブントースターで4〜5分焼く。

じゃがいものミルクスープ

材料
Ⓕ じゃがいも 25g ＋ Ⓑ だし汁 大さじ2 ＋ 牛乳 大さじ2

作り方
1. じゃがいもとだし汁を合わせ、ラップをかけて電子レンジで1分30秒〜1分50秒加熱する。じゃがいもをつぶすようにだし汁とよく混ぜ、牛乳を加えて混ぜ、ラップをかけて電子レンジで30〜40秒加熱し、こし器で裏ごす。

軟飯

材料
Ⓐ 軟飯 80〜90g

作り方
1. 軟飯に水小さじ½をふり、ラップをかけて電子レンジで1分50秒〜2分10秒加熱する。

牛肉と根菜のすき煮

材料
Ⓒ 牛すき煮 1回分 ＋ Ⓓ 根菜ミックス 20g ＋ Ⓑ だし汁 大さじ1 ＋ かたくり粉 適量

作り方
1. 牛すき煮と根菜ミックス、だし汁を合わせ、ラップをかけて電子レンジで2分〜2分20秒加熱する。水溶きかたくり粉を加えて混ぜ、ラップをかけて電子レンジで20〜30秒加熱して混ぜる。

トマトとわかめのサラダ

材料
Ⓖ トマト 20g ＋ 乾燥わかめ 2g / ごま油 小さじ⅛ / しょうゆ 3滴

作り方
1. わかめは水でもどし、熱湯でさっとゆでて5mm大に切る。
2. トマトに水小さじ½をふり、ラップをかけて電子レンジで30〜40秒加熱する。1、ごま油、しょうゆと混ぜる。

あじとポテトのおやき

材料
- Ⓔ あじ 20g
- Ⓕ じゃがいも 25g
- 塩 少々
- かたくり粉 小さじ1
- オリーブ油 小さじ1

作り方
1. あじとじゃがいもを合わせて水小さじ½をふり、ラップをかけて電子レンジで50秒〜1分加熱する。塩、かたくり粉を加えてこねる。2等分し、小判型に形をととのえる。
2. フライパンにオリーブ油を熱し、1を入れて両面を焼く。中までしっかり火を通す。

根菜とわかめのみそ汁

材料
- Ⓓ 根菜ミックス 20g
- Ⓑ だし汁 大さじ3
- 乾燥わかめ 2g
- みそ 小さじ⅙

作り方
1. わかめは水でもどし、5mm大に切る。
2. 小鍋にだし汁を入れて火にかけ、溶けたら根菜ミックスと1を加える。根菜ミックスが溶けて煮立ったら火を止め、みそを溶き入れる。

★★★ 金曜日 Friday

かたくり粉を加えてモチモチ食感

根菜とわかめのみそ汁

あじとポテトのおやき

牛肉トマトの和風ピザトースト

材料
- Ⓒ 牛すき煮 1回分 
- Ⓖ トマト 20g
- 食パン ⅔枚
- ピザ用チーズ 5g

作り方
1. 牛すき煮とトマトは合わせて水小さじ½をふり、ラップをかけて電子レンジで1分〜1分20秒加熱して混ぜる。
2. 食パンは耳を切り落として3等分に切り、1をのせてピザ用チーズをのせる。オーブントースターで4〜5分焼く。

根菜のりサラダ

材料
- Ⓓ 根菜ミックス 20g
- マヨネーズ 小さじ½
- 焼きのり 1.5cm四方

作り方
1. 根菜ミックスに水小さじ½をふり、ラップをかけて電子レンジで50秒〜1分加熱する。マヨネーズと、キッチンばさみで3〜4mm大に切ったのりを加えて混ぜる。

★★★ 土曜日 Saturday

とろ〜りチーズがおいしい！

根菜のりサラダ

牛肉トマトの和風ピザトースト

日曜日 Sunday

じゃがいもとトマトは意外に合う！

わかめごはん

ポテトマサラダ

牛肉と春雨のすき煮

パクパク期 3〜4週目

わかめごはん

材料
Ⓐ 軟飯 80〜90g ＋ 乾燥わかめ 1g

作り方
1. 軟飯に水小さじ½をふり、ラップをかけて電子レンジで1分50秒〜2分10秒加熱する。
2. わかめは水でもどし、熱湯でさっとゆでて3〜4mm大のみじん切りにし、1に混ぜる。

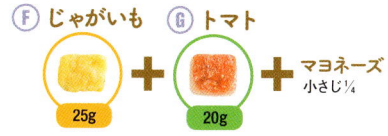

ポテトマサラダ

材料
Ⓕ じゃがいも 25g ＋ Ⓖ トマト 20g ＋ マヨネーズ 小さじ¼

作り方
1. じゃがいもとトマトを合わせて水小さじ½をふり、ラップをかけて電子レンジで1分〜1分20秒加熱し、マヨネーズを加えて混ぜる。

牛肉と春雨のすき煮

材料
Ⓒ 牛すき煮 1回分

作り方
1. 牛すき煮に水小さじ½をふり、ラップをかけて電子レンジで1分20秒〜1分30秒加熱して混ぜる。ラップをかけて電子レンジでさらに10〜20秒加熱して混ぜる。

手づかみ食べしやすく成形しよう

おやつ Oyatsu

じゃがいもチーズ

材料
Ⓕ じゃがいも 25g ＋ 粉チーズ 小さじ1 / かたくり粉 小さじ1½ / オリーブ油 小さじ½

作り方
1. じゃがいもに水小さじ½をふり、ラップをかけて電子レンジで40〜50秒加熱する。
2. 1に粉チーズ、かたくり粉を加えて混ぜる。よくこねたら4等分して細長い俵型にする。
3. フライパンにオリーブ油を熱し、2を入れて転がしながら全面を焼く。中までしっかり火を通す。

じゃがいもチーズ

パクパク期（1歳～1歳6カ月ごろ）

5～6週目

食材だけでなく、和風、洋風と味つけにも変化をつけよう

1週間分（7食分）＋おやつの冷凍ストック

A　軟飯
かたさは調整を

白飯2½カップ、水2カップ
白飯と水で軟飯を作り（→p.14）、80～90gずつ保存容器に入れて冷凍する。

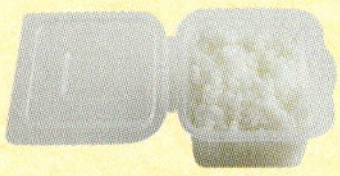

80～90g×6～7回

C　豚玉炒め
シンプルな塩味に！

材料　豚薄切り肉40g、玉ねぎ50g（¼個）、オリーブ油小さじ½、しょうゆ小さじ¼

作り方
1　豚肉は1cm大に切る。玉ねぎは7～8mm角に切る。
2　フライパンにオリーブ油を熱し、玉ねぎを入れて炒め、しんなりしたら豚肉を加えて炒め、肉の色が変わったらしょうゆを加えて混ぜ、さっと炒める。3等分して保存容器に入れて冷凍する。

3回分

E　キャベツトマト
甘みと酸味の組み合わせ

キャベツ120g（2枚）、トマト60g（½個）
キャベツは芯をのぞいて半分くらいの大きさにちぎる。熱湯でやわらかくゆでて1cm大に切る。トマトは熱湯で湯むきして（→p.23）種をのぞいて1cm角に切る。キャベツとトマトを混ぜ、7等分して保存容器に入れて冷凍する。

20g×7回

F　なす
味も食感もクセがない

50g（中½本）
皮をむいて7～8mm角に切り、熱湯で2分ほどゆでる。10gずつラップで包んで冷凍保存袋に入れて冷凍する。

10g×4回

G　かぼちゃ
食べやすくコロコロに

130g（1/19個）
種、わたをのぞき、2～3cm角に切る。ラップをかけて、電子レンジで2～3分加熱する。皮をむいて7～8mm角に切り、15gずつ保存容器に入れて冷凍する。

15g×6回

B　だし汁
みそ汁、おかずに大活躍

300ml
だし汁を作り（→p.15）、大さじ1ずつ製氷皿に入れて冷凍する。

大さじ1（15ml）×20回

POINT　冷凍後は、冷凍用保存袋に入れ替えよう。

D　まぐろ
しっかりゆでて！

刺し身20g
まぐろは熱湯でゆでて1cm角に切る。2等分して保存容器に入れて冷凍する。

10g×2回

Plus　家にある食材

そうめん
意外に塩分が多いので、しっかりゆでてから使う。

納豆
納豆はひき割りを使うと刻む手間が省けて楽ちん。

豆腐
赤ちゃんには、舌ざわりのなめらかな絹ごし豆腐を。

卵
栄養価が高い食材。パクパク期は全卵½～⅔個以下が目安。

牛乳
1歳以降は加熱して調理に使うのも、飲むのもOK！

白すりごま
おかゆや野菜と混ぜて味のアクセントに。ミネラルが豊富！

パン粉
油脂を含むので、なるべくパクパク期以降に少量を。

粉チーズ
塩分、脂肪分が多いので、使うのはごく少量に。

しょうゆ
塩分を含むので使いすぎに注意。

塩
塩分は赤ちゃんの腎臓に負担になるので、使いすぎに注意。

砂糖
砂糖は赤ちゃんの体に負担になるので、ごく少量を。

みそ
塩分を含むので使いすぎに注意。だし入りは添加物が入っているので避けて。

バター
油脂のなかでも、乳脂肪は消化しやすいので赤ちゃん向き。できれば食塩不使用タイプを。

トマトケチャップ
トマト味に仕上げたいときに。いろいろな調味料が含まれているので、少量を。

ごま油
ごまの風味があるので、味のアクセントに。

かたくり粉
とろみをつけたいときに使う。使い方はp.38参照。

102

パクパク期 5〜6週目

月曜日 Monday

かぼちゃも入るから食べやすい!

ラタトゥイユ
軟飯
豚玉炒め

軟飯
材料
Ⓐ 軟飯 80〜90g

作り方
1. 軟飯に水小さじ½をふり、ラップをかけて電子レンジで1分50秒〜2分10秒加熱する。

豚玉炒め
材料
Ⓒ 豚玉炒め 1回分

作り方
1. 豚玉炒めに水小さじ½をふり、ラップをかけて電子レンジで1分加熱して混ぜる。ラップをかけて電子レンジでさらに10〜20秒加熱して混ぜる。

ラタトゥイユ
材料
Ⓔ キャベツトマト 20g ＋ Ⓕ なす 10g ＋ Ⓖ かぼちゃ 15g ＋ 砂糖 小さじ¼　塩 少々

作り方
1. キャベツトマトとなす、かぼちゃを合わせて水小さじ½をふり、残りの材料を加え、ラップをかけて電子レンジで1分40秒〜2分加熱して混ぜる。

火曜日 Tuesday

なすと納豆のみそ汁
そうめんはゆでて冷凍しておいても
そうめんチャンプルー

そうめんチャンプルー
材料
Ⓔ キャベツトマト 20g ＋ そうめん 30g(⅔束)　ごま油 小さじ½　溶き卵 ⅓個分(20g)　しょうゆ 2滴

作り方
1. そうめんは熱湯でやわらかくくたくたにゆでて、1〜2cm長さに切る。
2. キャベツトマトに水小さじ½をふり、ラップをかけて電子レンジで30〜40秒加熱する。
3. フライパンにごま油を熱し、溶き卵を入れて炒める。1、2を加えて炒め、しょうゆを加えてさっと炒める。卵にしっかり火を通すこと!

なすと納豆のみそ汁
材料
Ⓕ なす 10g ＋ Ⓑ だし汁 大さじ3 ＋ 納豆 15g　みそ 少々

作り方
1. 小鍋にだし汁を入れて火にかけ、溶けたらなすを入れる。なすが溶けたら、4〜5mm大の粗めのみじん切りにした納豆を加え、煮立ったら火を止めてみそを溶き入れる。

軟飯

材料
- Ⓐ 軟飯 80〜90g

作り方
1. 軟飯に水小さじ½をふり、ラップをかけて電子レンジで1分50秒〜2分10秒加熱する。

まぐろと野菜のだしあん

材料
- Ⓓ まぐろ 10g
- Ⓔ キャベツトマト 20g
- Ⓑ だし汁 大さじ2
- しょうゆ 小さじ¼
- 砂糖 小さじ¼
- かたくり粉 適量

作り方
1. まぐろとキャベツトマト、だし汁を合わせ、ラップをかけて電子レンジで1分40秒〜2分加熱する。しょうゆ、砂糖、水溶きかたくり粉を加えて混ぜ、ラップをかけて電子レンジで10〜20秒加熱する。

豆腐となすのみそ汁

材料
- Ⓕ なす 10g
- Ⓑ だし汁 大さじ3
- 豆腐 10g
- みそ 小さじ⅙

作り方
1. 豆腐は7mm角に切る。
2. 小鍋にだし汁を入れて火にかけ、溶けたらなすを加える。なすが溶けたら1を加え、煮立ったら火を止めてみそを溶き入れる。

豚タコライス

材料
- Ⓐ 軟飯 80〜90g
- Ⓒ 豚玉炒め 1回分
- Ⓔ キャベツトマト 20g
- トマトケチャップ 小さじ¼
- 粉チーズ 小さじ¼

作り方
1. 軟飯に水小さじ½をふり、ラップをかけて電子レンジで1分50秒〜2分10秒加熱する。
2. 豚玉炒めとキャベツトマトを合わせて水小さじ½をふり、ラップをかけて電子レンジで1分〜1分20秒加熱し、ケチャップを加えて混ぜる。1にのせ、粉チーズをふる。

かぼちゃのスープ

材料
- Ⓖ かぼちゃ 15g
- Ⓑ だし汁 大さじ1
- 牛乳 大さじ2
- 塩 少々

作り方
1. かぼちゃとだし汁を合わせ、電子レンジで1分〜1分20秒加熱する。牛乳、塩を加え、ラップをかけて電子レンジで20〜30秒加熱し、混ぜる。

水曜日 Wednesday

ご飯にかけて丼にしてもおいしい

- まぐろと野菜のだしあん
- 軟飯
- 豆腐となすのみそ汁

木曜日 Thursday

1品で3つの栄養をしっかり補給！

- かぼちゃのスープ
- 豚タコライス

金曜日 Friday

やさしい味わい&のどごしのよさが◎

まぐろと卵のにゅうめん

キャベツとトマトのあえもの

まぐろと卵のにゅうめん

まぐろと卵のにゅうめん

材料

Ⓓ まぐろ 10g ＋ Ⓑ だし汁 大さじ3 ＋ そうめん 30g(⅔束)／溶き卵 ¼個分(15g)／しょうゆ 小さじ⅓

作り方

1. そうめんは熱湯でやわらかくくたくたにゆでて、1～2cm長さに切る。
2. 小鍋にだし汁を入れて火にかけ、まぐろを入れる。溶けて煮立ったら、1を加える。溶き卵を回し入れて、しっかり火を通す。しょうゆを加えて混ぜ、さっと煮る。

キャベツとトマトのあえもの

材料

Ⓔ キャベツトマト 20g ＋ Ⓑ だし汁 大さじ1 ＋ ごま油 小さじ¼／しょうゆ 2～3滴／砂糖 小さじ⅙

作り方

1. キャベツトマトに水小さじ½をふり、ラップをかけて電子レンジで50秒～1分加熱する。
2. だし汁を加え、ラップをかけて電子レンジで20～30秒加熱して混ぜ、ごま油、しょうゆ、砂糖を加えて混ぜる。

パクパク期 5～6週目

納豆ぶっかけそうめん

土曜日 Saturday

なすと豆腐が意外に合う！

なすの白あえ

納豆ぶっかけそうめん

材料

Ⓔ キャベツトマト 20g ＋ Ⓑ だし汁 大さじ2 ＋ そうめん 30g(⅔束)／納豆 大さじ1／しょうゆ 小さじ½

作り方

1. そうめんは熱湯でやわらかくくたくたにゆでて、1～2cm長さに切る。
2. キャベツトマトとだし汁は合わせ、ラップをかけて電子レンジで1分40秒～2分加熱する。熱湯をかけて4～5mm大の粗めのみじん切りにした納豆としょうゆを加えて混ぜて、1にかける。

なすの白あえ

材料

Ⓕ なす 10g ＋ Ⓑ だし汁 大さじ1 ＋ 豆腐 20g／白すりごま 小さじ½／砂糖 小さじ¼／しょうゆ 小さじ¼

作り方

1. なすとだし汁は合わせ、ラップをかけて電子レンジで1分～1分20秒加熱する。
2. 豆腐にラップをかけて電子レンジで10～30秒加熱し、汁けをきってすりつぶし、残りの材料を混ぜ合わせて加えて混ぜる。1に加えてあえる。

軟飯

材料
- Ⓐ 軟飯 80〜90g

作り方
1. 軟飯に水小さじ½をふり、ラップをかけて電子レンジで1分50秒〜2分10秒加熱する。

かぼちゃのコロッケ風

材料
- Ⓒ 豚玉炒め 1回分
- Ⓖ かぼちゃ 30g
- パン粉 大さじ1

作り方
1. 豚玉炒めに水小さじ½をふり、ラップをかけて電子レンジで1分〜1分20秒加熱し、細かく刻む。かぼちゃは水小さじ½をふり、ラップをかけて電子レンジで50秒〜1分10秒加熱して、豚玉炒めと混ぜ、3等分して俵型に丸める。
2. フライパンにパン粉を入れて火にかけ、きつね色になるまでからいりする。1にまぶしつける。

キャベトマのケチャップあえ

材料
- Ⓔ キャベツトマト 20g
- トマトケチャップ 小さじ⅛

作り方
1. キャベツトマトに水小さじ½をふり、ラップをかけて電子レンジで40秒〜1分加熱する。ケチャップを加えて混ぜる。

日曜日 Sunday
具にパン粉をまぶすだけ！

- かぼちゃのコロッケ風
- キャベトマのケチャップあえ
- 軟飯

かぼちゃのごま茶巾

材料
- Ⓖ かぼちゃ 30g
- 砂糖 小さじ½
- バター 小さじ½
- 白すりごま 小さじ½

作り方
1. かぼちゃに水小さじ½をふり、ラップをかけて電子レンジで50〜1分10秒加熱する。すりこぎなどでしっかりつぶし、残りの材料を加えて混ぜる。3等分してラップで包み、ひと口サイズに丸める。

おやつ Oyatsu
バターでコクを、ごまで香ばしさをプラス

かぼちゃのごま茶巾

7～8週目 パクパク期（1歳～1歳6カ月ごろ）

見た目のバリエーションを増やして楽しい食卓に！

1週間分(7食分)＋おやつのストック食材

A 軟飯
やわらかめの白飯でも

白飯2½カップ、水1⅜カップ
白飯と水で軟飯を作り（→p.14）、80～90gずつ保存容器に入れて冷凍する。

80～90g×6～7回

C ホワイトソース
洋風レシピにおすすめ！

160ml
ホワイトソースを作り（→p.16）、大さじ1ずつ保存容器に入れて冷凍する。

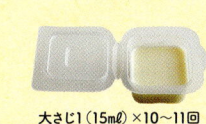

大さじ1（15ml）×10～11回

POINT 冷凍後は、冷凍用保存袋に入れ替えよう。

E ささみ
ゆでて、しっとり！

110g（小2本）
熱湯でゆでてすじをのぞき、8mm大に切る。5等分してラップで包み、冷凍用保存袋に入れて冷凍する。

20g×5回

F ほうれん草 にんじん
合わせてストック！

ほうれん草の葉先80g（小1株）、にんじん100g（小1本）
ほうれん草は熱湯でやわらかくゆでて水にさらし、水けをきって1cm大に切る。にんじんは皮をむいて2mm厚さのいちょう切りにし、水からやわらかくゆでる。ほうれん草とにんじんを混ぜ、6等分して保存容器に入れて冷凍する。

25g×6回

G ブロッコリー
栄養価満点＆食べやすい

150g（½株）
小房に分け、熱湯でやわらかくゆでる。1cm大にさらに分け、ラップで1本の棒状に包む。冷凍用保存袋に入れて冷凍する。＊20gずつ折って使う。

20g×5回

B だし汁
野菜スープに代えても

300ml
だし汁を作り（→p.15）、大さじ1ずつ製氷皿に入れて冷凍する。

大さじ1（15ml）×20回

POINT 冷凍後は、冷凍用保存袋に入れ替えよう。

D かつおの角煮
煮るだけで臭みなし！

材料 かつお（刺し身）40g、かぶ50g（小1個）、**A**（だし汁¼カップ、砂糖、しょうゆ各小さじ½）

作り方
1 かぶは茎を根元から切り落とし、皮をむいて1cm角に切る。かつおも1cm角に切る。かぶとかつおを**A**で煮て2等分し、保存容器に入れて冷凍する。

2回分

Plus 家にある食材

食パン（8枚切り）
耳はかたいので切り落として。できるだけ、よけいな添加物を使っていないものを選ぼう。

スパゲティ
直径1.4～1.6mmくらいの太さがおすすめ。小さめのマカロニでもOK！

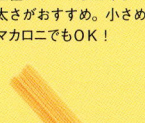

バナナ
甘みがあり、赤ちゃんの好きな味。糖質が多いので、主食も兼ねて。

牛乳
1歳以降は加熱して調理に使うのも、飲むのもOK！

桜えび
香ばしさで食がすすみます。ミネラルが豊富！

乾燥わかめ
水でもどすだけで使いやすい。塩蔵わかめは塩分が多いので避けて。

焼きのり
飲み込みづらいので、使うときは小さくちぎって。味つきのりは使用不可。

白すりごま
軟飯や野菜と混ぜて味のアクセントに。ミネラルが豊富！

小麦粉
赤ちゃんに与えるときは、しっかり火が通ったことを確認しよう。

しょうゆ
塩分を含むので使いすぎに注意。

塩
塩分は赤ちゃんの腎臓に負担になるので、使いすぎに注意。

砂糖
砂糖は赤ちゃんの体の負担になるので、ごく少量を。

ベーキングパウダー
膨張剤の一種。パクパク期以降ごく少量ならOK！アルミニウムを含まないものを選んで。

みそ
塩分を含むので使いすぎに注意。だし入りは添加物が入っているので避けて。

マヨネーズ
生卵を含むので1歳まではしっかり火を通すこと。

バター
油脂のなかでも、乳脂肪は消化しやすいので赤ちゃん向き。できれば食塩不使用タイプを。

ごま油
ごまの風味があるので、味のアクセントに。

ほうれん草とにんじんの
チキンクリームパスタ

材料
- Ⓔ ささみ 20g
- Ⓕ ほうれん草にんじん 25g
- Ⓒ ホワイトソース 大さじ1
- スパゲティ（乾麺）25g
- 塩 少々

作り方
1. スパゲティを熱湯でやわらかくくたくたにゆでて、1～2cm長さに切る。
2. ささみとほうれん草にんじん、ホワイトソースを合わせて水小さじ½をふり、ラップをかけて電子レンジで1分20秒～1分30秒加熱して混ぜる。ラップをかけて電子レンジでさらに10～20秒加熱し、1を混ぜ、塩を加えてさらに混ぜる。

スティックバナナ

材料
- バナナ 大⅓本(40g)

作り方
1. バナナは縦3～4等分に切る。

軟飯おにぎり

材料
- Ⓐ 軟飯 80～90g
- 塩 小さじ⅒
- 焼きのり 2～3cm四方

作り方
1. 軟飯に水小さじ½をふり、ラップをかけて電子レンジで1分50秒～2分10秒加熱する。2等分してラップに包んでにぎり、塩を全体に軽くまぶし、ちぎったのりをつける。

かつおの角煮

材料
- Ⓓ かつおの角煮 1回分

作り方
1. かつおの角煮に水小さじ½をふり、ラップをかけて電子レンジで1分加熱して混ぜる。電子レンジでさらに10～20秒加熱する。

わかめと桜えびのスープ

材料
- Ⓑ だし汁 大さじ3
- 乾燥わかめ 1g
- 桜えび 小さじ1
- しょうゆ 3滴

作り方
1. わかめは水でもどし、6～8mm大に切る。桜えびはみじん切りにする。
2. 小鍋にだし汁を入れて火にかける。だし汁が溶けてきたら1を加えて混ぜ、煮立ったらさらにしょうゆを加えて混ぜる。

月曜日 Monday

1品でお腹も満足！栄養も満点！

スティックバナナ

ほうれん草とにんじんのチキンクリームパスタ

火曜日 Tuesday

冷凍ストックをチンするだけでOK！

軟飯おにぎり

かつおの角煮

わかめと桜えびのスープ

水曜日 Wednesday

ホワイトソースに
みそが
合います

ほうれん草にんじんの
マヨごま

チキンのみそクリーム煮
のっけごはん

パクパク期 7〜8週目

木曜日 Thursday

パスタも
和風の味つけで
楽しんで！

バナナ

かつおとブロッコリーの
和風スープパスタ

チキンのみそクリーム煮のっけごはん

材料

Ⓐ 軟飯 80〜90g ＋ Ⓔ ささみ 20g ＋ Ⓖ ブロッコリー 20g ＋ Ⓒ ホワイトソース 大さじ1

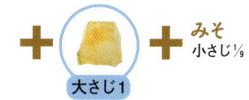

＋ Ⓑ だし汁 大さじ1 ＋ みそ 小さじ1/8

作り方

1. 軟飯に水小さじ1/2をふり、ラップをかけて電子レンジで1分50秒〜2分10秒加熱する。
2. ささみとブロッコリー、ホワイトソース、だし汁を合わせ、ラップをかけて電子レンジで1分40秒〜1分50秒加熱する。みそを溶き入れて、ラップをかけて電子レンジで30〜40秒加熱して混ぜる。1にかける。

ほうれん草にんじんのマヨごま

材料

Ⓕ ほうれん草にんじん 25g ＋ マヨネーズ 小さじ1/3 / 白すりごま 小さじ1/3

作り方

1. ほうれん草にんじんに水小さじ1/2をふり、ラップをかけて電子レンジで30〜40秒加熱する。マヨネーズとごまを加えて混ぜる。

かつおとブロッコリーの和風スープパスタ

材料

Ⓓ かつおの角煮 1回分 ＋ Ⓖ ブロッコリー 20g ＋ Ⓑ だし汁 大さじ2 ＋ スパゲティ（乾麺）25g / しょうゆ 2滴

作り方

1. スパゲティを熱湯でやわらかくくたくたにゆでて、1〜2cm長さに切る。
2. かつおの角煮とブロッコリー、だし汁を合わせ、電子レンジで1分50秒〜2分加熱する。1、しょうゆを加えて混ぜる。

バナナ

材料

バナナ 大1/3本(40g)

作り方

1. バナナは7mm幅の輪切りにする。

桜えびとブロッコリーのクリームトースト

材料
- Ⓖ ブロッコリー 20g
- Ⓒ ホワイトソース 大さじ1
- 桜えび 小さじ1
- 食パン ¾枚

作り方
1. ブロッコリーとホワイトソースを合わせて水小さじ½をふり、ラップをかけて電子レンジで1分加熱する。
2. 桜えびはみじん切りし、1に加えて混ぜる。
3. 食パンは耳を切り落として縦2等分に切り、2をのせてオーブントースターで2～3分焼く。

棒棒鶏風サラダ

材料
- Ⓔ ささみ 20g
- Ⓕ ほうれん草 にんじん 25g
- 白すりごま 小さじ½
- みそ 小さじ⅛
- 砂糖 小さじ½
- 牛乳 小さじ1
- ごま油 小さじ¼

作り方
1. ささみとほうれん草にんじんを合わせて水小さじ½をふり、ラップをかけて電子レンジで1分20秒～1分30秒加熱して混ぜる。
2. 残りの材料を混ぜ合わせ、1にかける。

金曜日 Friday

棒棒鶏風サラダ

スティック状でつかみやすい

桜えびとブロッコリーのクリームトースト

チキンサンド

材料
- Ⓔ ささみ 20g
- Ⓕ ほうれん草 にんじん 25g
- マヨネーズ 小さじ½
- 食パン ⅔枚

作り方
1. ささみとほうれん草にんじんを合わせて水小さじ½をふり、ラップをかけて電子レンジで1分20秒～1分30秒加熱して混ぜ、マヨネーズを加えて混ぜる。
2. 食パンは耳を切り落として4等分に切り、2枚1組にして1をはさむ。

バナナジュース

材料
- バナナ ½本(50g)
- 牛乳 大さじ1½

作り方
1. バナナをすりつぶして牛乳でのばす。

土曜日 Saturday

パンには汁ものを合わせて食べやすく！

チキンサンド

バナナジュース

日曜日 Sunday

野菜はグラッセ風に甘く仕上げて

チキンソテー、野菜のグラッセ風

軟飯

わかめとブロッコリーのみそ汁

パクパク期 7〜8週目

軟飯

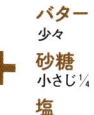

材料
Ⓐ 軟飯 80〜90g

作り方
1. 軟飯に水小さじ½をふり、ラップをかけて電子レンジで1分50秒〜2分10秒加熱する。

チキンソテー、野菜のグラッセ風

材料
チキンソテー
Ⓔ ささみ 20g ＋ バター 小さじ⅙ / 塩 少々

野菜のグラッセ風
Ⓕ ほうれん草にんじん 25g ＋ バター 少々 / 砂糖 小さじ¼ / 塩 少々

作り方
1. ささみに水小さじ½をふり、ラップをかけて電子レンジで40〜50秒加熱する。
2. フライパンにバターを熱し、1をさっと焼いて塩をふる。
3. ほうれん草にんじんに水小さじ½をふり、ラップをかけて電子レンジで25〜35秒加熱し、バター、砂糖、塩を加えて混ぜる。ラップをかけて電子レンジでさらに10〜20秒加熱する。

わかめとブロッコリーのみそ汁

材料
Ⓖ ブロッコリー 20g ＋ Ⓑ だし汁 大さじ3 ＋ 乾燥わかめ 1g / みそ 小さじ⅛

作り方
1. わかめは水でもどし、5mm大に切る。
2. 小鍋にだし汁を入れて火にかけ、溶けたらブロッコリー、1を加える。ブロッコリーが溶けて煮立ったら火を止め、みそを溶き入れる。

おやつ Oyatsu

野菜がおいしく食べられるお手軽蒸しパン

野菜蒸しパン

野菜蒸しパン

※2個（2回分）できあがる。保存するときは冷蔵で3日、冷凍で1週間を目安に。

材料
Ⓕ ほうれん草にんじん 25g ＋ 小麦粉 25g / ベーキングパウダー 小さじ¼ / 砂糖 小さじ½ / 塩 少々 / 牛乳 大さじ1⅔

作り方
1. ほうれん草にんじんに水小さじ½をふり、ラップをかけて電子レンジで30〜40秒加熱する。
2. 残りの材料を混ぜ、1に加えて混ぜる。2等分してシリコンカップ（底の直径3.5cm・上面の直径5.5cm×高さ3cm）に入れて、ラップをかけて電子レンジで1個あたり40〜50秒加熱する。

パクパク期（1歳〜1歳6カ月ごろ）

9〜10週目

汁ものやヨーグルトなどから
スプーンの練習をはじめても

1週間分(7食分)＋おやつのストック食材

A 軟飯
軟飯の水分量を減らしても

白飯2½カップ、水2カップ
白飯と水で軟飯を作り(→p.14)、80〜90gずつ保存容器に入れて冷凍する。

80〜90g×6〜7回

C ミートソース
レシピに応用しやすい！

材料　豚ひき肉60g、トマト200g（大1½個分）、玉ねぎ80g（½個）、バター5g、砂糖小さじ½、塩ひとつまみ

作り方
1 玉ねぎはみじん切りにする。トマトは熱湯で湯むきして(→p.23)種をのぞいて裏ごしする。
2 フライパンにバターを熱し、玉ねぎを炒める。しんなりしたらひき肉を加えて炒める。
3 トマト、砂糖を加えて煮る。煮詰まってきたら塩を加えて混ぜる。4等分して保存容器に入れて冷凍する。

4回分

E さつまいも
マッシュは粗めでOK

180g（太め7cm厚さ）
皮を厚めにむいて水に5分ほどさらし、2〜3cm角に切る。水からやわらかくゆでて粗くつぶし、ラップにのせて包む。6等分のすじ目をつけ、冷凍用保存袋に入れて冷凍する。＊25gずつ折って使う。

25g×6回

G 枝豆
食感に変化を！

80g（さやから出したもの）
熱湯でやわらかくゆでる。薄皮をのぞき、粗く刻んでラップで1本の棒状に包む。冷凍用保存袋に入れて冷凍する。＊20gずつ折って使う。

20g×4回

H ひじき
地味だけど栄養豊富！

乾燥芽ひじき5g
水に30分以上つけてもどし、熱湯でゆでる。粗く刻んでラップで1本の棒状に包む。冷凍用保存袋に入れて冷凍する。＊12gずつ折って使う。

12g×4回

B だし汁
おかずにもみそ汁にも

300ml
だし汁を作り(→p.15)、大さじ1ずつ製氷皿に入れて冷凍する。

大さじ1(15ml)×20回

POINT 冷凍後は、冷凍用保存袋に入れ替えよう。

D さけ
骨はしっかり取りのぞこう

生ざけ50g（小½切れ）
フライパンで焼いて火を通し、骨、皮を取りのぞいて1cm大にほぐす。15gずつ保存容器に入れて冷凍する。

15g×3回

POINT 塩ざけは塩分が多いので、赤ちゃんにはNG！

F ピーマン
苦手な子はパプリカに

ピーマン、赤ピーマン各70g（各小2個）
種とわたをのぞき、7〜8mm大に切る。熱湯でゆでて、25gずつ保存容器に入れて冷凍する。

25g×4回

Plus 家にある食材

スパゲティ
直径1.4〜1.6mmくらいの太さがおすすめ。小さめのマカロニでもOK！

卵
栄養価が高い食材。パクパク期は全卵½〜⅔個以下が目安。

豆腐
赤ちゃんには、舌ざわりのなめらかな絹ごし豆腐を。

きなこ
大豆の粉なので、栄養満点！香ばしさで食欲が進む。

かつおぶし
かつおのおいしさがつまっている。うまみをプラスしたいときに。

牛乳
1歳以降は加熱して調理に使うのも、飲むのもOK！

プレーンヨーグルト
無糖のプレーンヨーグルトを選ぼう。

りんご
食物繊維が豊富なので、お通じによい。

砂糖
砂糖は赤ちゃんの体の負担になるので、ごく少量を。

バター
油脂のなかでも、乳脂肪は消化しやすいので赤ちゃん向き。できれば食塩不使用タイプを。

マヨネーズ
生卵を含むので1歳まではしっかり火を通すこと。

みそ
塩分を含むので使いすぎに注意。だし入りは添加物が入っているので避けて。

黒いりごま
おかゆや野菜と混ぜて味のアクセントに。ミネラルが豊富！

粉チーズ
塩分、脂肪分が多いので、使うのはごく少量に。

小麦粉
赤ちゃんに与えるときは、しっかり火が通ったことを確認しよう。

ごま油
ごまの風味があるので、味のアクセントに。

オリーブ油
サラダ油よりも、熱に強く酸化しないオリーブ油がおすすめ。

塩
塩分は赤ちゃんの腎臓に負担になるので、使いすぎに注意。

しょうゆ
塩分を含むので使いすぎに注意。

シンプルに
さけの味を感じる
メニュー

月曜日
Monday

焼きざけ

豆腐とひじきの
みそ汁

枝豆ごはん

パクパク期
9〜10週目

火曜日
Tuesday

ミートソースと
一緒だから
野菜も食べやすい

りんごヨーグルト

ミートソース
スパゲティ

枝豆ごはん

材料
Ⓐ 軟飯 80〜90g ＋ Ⓖ 枝豆 20g

作り方
1. 軟飯と枝豆は合わせて水小さじ½をふり、ラップをかけて電子レンジで2分〜2分20秒加熱して混ぜる。

焼きざけ

材料
Ⓓ さけ 15g

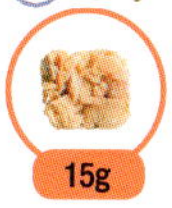

作り方
1. さけに水小さじ½をふり、ラップをかけて電子レンジで40秒〜1分加熱する。

豆腐とひじきのみそ汁

材料
Ⓗ ひじき 12g ＋ Ⓑ だし汁 大さじ3 ＋ 豆腐 10g　みそ 小さじ⅙

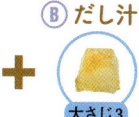

作り方
1. 小鍋にだし汁を入れて火にかけ、溶けたらひじきを加える。ひじきが溶けたら1cm角に切った豆腐を加え、煮立ったら火を止めてみそを溶き入れる。

ミートソーススパゲティ

材料
Ⓒ ミートソース 1回分 ＋ Ⓕ ピーマン 25g ＋ スパゲティ（乾麺）25g

作り方
1. スパゲティを熱湯でやわらかくくたくたにゆでて、1〜2cm長さに切る。
2. ミートソースとピーマンを合わせて水小さじ½をふり、ラップをかけて電子レンジで1分20秒〜1分30秒加熱する。1にのせる。

りんごヨーグルト

材料
りんご ¹⁄₁₀個（30g）
ヨーグルト 大さじ1½

作り方
1. りんごは皮をむいて芯をのぞき、7〜8mm角に切る。水小さじ½をふってラップをかけて電子レンジで1分〜1分30秒加熱する。ヨーグルトと混ぜる。

軟飯おにぎり

材料 Ⓐ 軟飯 80〜90g

作り方
1. 軟飯に水小さじ½をふり、ラップをかけて電子レンジで1分50秒〜2分20秒加熱する。2等分してラップに包んでにぎる。

枝豆いり卵

材料 Ⓖ 枝豆 20g ＋ 溶き卵 ⅓個分(20g)／塩 少々／オリーブ油 小さじ½

作り方
1. 枝豆に水小さじ½をふり、ラップをかけて電子レンジで40〜50秒加熱する。溶き卵を加えて混ぜ、塩を加えて混ぜる。
2. フライパンにオリーブ油を熱し、1を入れて炒めて卵に火を通す。

ピーマンとひじきの豆腐炒め

材料 Ⓕ ピーマン 25g ＋ Ⓗ ひじき 12g ＋ 豆腐 20g／オリーブ油 小さじ½／かつおぶし ふたつまみ／しょうゆ 3滴

作り方
1. ピーマンとひじきそれぞれに水小さじ½をふり、ラップをかけて電子レンジで40〜50秒ずつ加熱する。
2. フライパンにオリーブ油を熱して1を入れて炒める。かつおぶしとしょうゆを加えて混ぜ、1cm角に切った豆腐を加えてさっと炒める。

さけとピーマンのクリームパスタ

材料 Ⓓ さけ 15g ＋ Ⓕ ピーマン 25g ＋ スパゲティ（乾麺）25g／バター 小さじ½／小麦粉 小さじ1／牛乳 ¼カップ／塩 少々

作り方
1. スパゲティを熱湯でやわらかくくたくたにゆでて、1〜2cm長さに切る。
2. さけとピーマンを合わせて水小さじ½をふり、ラップをかけて電子レンジで1分10秒〜1分20秒加熱して混ぜる。
3. フライパンにバターを熱し、2を入れてさっと炒める。小麦粉を加えまぶして牛乳と1を加える。とろみがついたら塩で調味する。

さつまいもきなこボール

材料 Ⓔ さつまいも 25g ＋ 牛乳 小さじ½／きなこ 大さじ1弱

作り方
1. さつまいもに水小さじ½をふり、ラップをかけて電子レンジで40〜50秒加熱し、牛乳を加えて混ぜる。3等分して小さく丸め、まわりにきなこをまぶす。

水曜日 Wednesday

卵で枝豆がまろやかに仕上がる

枝豆いり卵
ピーマンとひじきの豆腐炒め
軟飯おにぎり

木曜日 Thursday

さつまいもの甘みがちょうどよい

さつまいもきなこボール
さけとピーマンのクリームパスタ

114

金曜日 Friday

かみ応えのある
ひじきで
かむ練習を

さけとひじきの
チャーハン

さつまいもとりんごの
ヨーグルトがけ

パクパク期
9〜10週目

さけとひじきのチャーハン

材料
- Ⓐ 軟飯 80〜90g
- Ⓗ ひじき 12g
- Ⓓ さけ 15g
- ごま油 小さじ1
- 溶き卵 ⅓個分(20g)
- しょうゆ 3滴

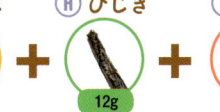

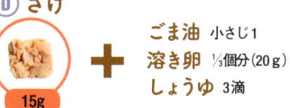

作り方
1. 軟飯とひじき、さけを合わせて水小さじ½をふり、ラップをかけて電子レンジで2分〜2分20秒加熱して混ぜる。
2. フライパンにごま油を熱し、溶き卵を入れて炒める。卵にしっかり火が通ったら、1を加えて炒め、しょうゆを加えて混ぜる。

さつまいもとりんごのヨーグルトがけ

材料
- Ⓔ さつまいも 25g
- りんご ⅒個(20g)
- ヨーグルト 小さじ1

作り方
1. さつまいもに水小さじ½をふり、ラップをかけて電子レンジで40〜50秒加熱する。
2. りんごは皮をむいて芯をのぞき、7〜8mm角に切る。水小さじ½をふってラップをかけて電子レンジで50秒〜1分加熱する。1と混ぜ、ヨーグルトをかける。

土曜日 Saturday

ミートソース＋
豆腐で
麻婆の完成!

ひじきと
枝豆のスープ

麻婆風のっけごはん

麻婆風のっけごはん

材料
- Ⓐ 軟飯 80〜90g
- Ⓒ ミートソース 1回分
- 豆腐 20g

作り方
1. 軟飯に水小さじ½をふり、ラップをかけて電子レンジで1分50秒〜2分20秒加熱する。
2. ミートソースに水小さじ½をふり、ラップをかけて電子レンジで1分〜1分20秒加熱する。
3. 豆腐は1cm角に切り、ラップをかけて電子レンジで10〜30秒加熱し、2と混ぜて1にかける。

ひじきと枝豆のスープ

材料
- Ⓖ 枝豆 20g
- Ⓗ ひじき 12g
- Ⓑ だし汁 大さじ4
- かつおぶし ふたつまみ
- しょうゆ 小さじ½

作り方
1. 小鍋にだし汁を入れて火にかけ、溶けたら枝豆、ひじきを加える。枝豆、ひじきが溶けて煮立ったらかつおぶし、しょうゆを加えて混ぜる。

ミートドリア

材料
- Ⓐ 軟飯 80~90g
- © ミートソース 1回分
- Ⓖ 枝豆 20g
- 粉チーズ 小さじ½

作り方
1. 軟飯に水小さじ½をふり、ラップをかけて電子レンジで1分50秒～2分20秒加熱する。
2. ミートソース、枝豆それぞれに水小さじ½をふり、ラップをかけて電子レンジで1分～1分20秒ずつ加熱して混ぜる。
3. 耐熱皿に1を盛り、2をのせて粉チーズをふり、オーブントースターで3～4分焼く。

チーズをのせて焼けばドリアに変身

日曜日 Sunday

ピーマンのおいもサラダ

材料
- Ⓕ ピーマン 25g
- Ⓔ さつまいも 25g
- ヨーグルト 小さじ½
- マヨネーズ 小さじ½

作り方
1. ピーマン、さつまいもを合わせて水小さじ½をふり、ラップをかけて電子レンジで1分30秒～1分40秒加熱して混ぜる。
2. ヨーグルトとマヨネーズを混ぜ、1をあえる。

材料を混ぜて軽く焼くだけ！

おやつ Oyatsu

スイートポテト

材料
- Ⓔ さつまいも 25g
- バター 少々
- 砂糖 小さじ½
- 卵黄 ⅙個分(6g)
- 黒いりごま 少々

作り方
1. さつまいもに水小さじ½をふり、ラップをかけて電子レンジで40～50秒加熱する。バター、砂糖、卵黄半量を加えて混ぜる。
2. 2等分して小さく丸めて形をととのえ、水小さじ⅙で溶いた残りの卵黄をぬり、ごまをのせてオーブントースターで3～4分焼く。

11〜12週目 パクパク期（1歳〜1歳6カ月ごろ）

離乳食卒業目前！かむ力が育つレシピを紹介します

1週間分（7食分）＋おやつのストック食材

A　軟飯
やわらかい白飯でもOK！

白飯2½カップ、水2カップ
白飯と水で軟飯を作り（→p.14）、80〜90gずつ保存容器に入れて冷凍する。

80〜90g×6〜7回

C　だし汁
ストック量は増やしても

300ml
だし汁を作り（→p.15）、大さじ1ずつ製氷皿に入れて冷凍する。

大さじ1（15ml）×20回

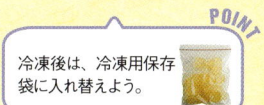

POINT　冷凍後は、冷凍用保存袋に入れ替えよう。

E　えび
独特の食感が楽しい

むきえび60g
むきえびをかたくり粉大さじ1でもんで水洗いし、熱湯でゆでて8mm大に刻む。15gずつ保存容器に入れて冷凍する。

15g×4回

G　れんこん
かむ力をアップ！

110g（½節）
皮をむいて5〜7mm角に切り、5分ほど水にさらし、水からゆでる（沸騰して5分ほど）。15gずつ保存容器に入れて冷凍する。

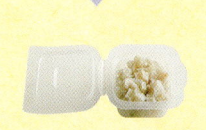

15g×6回

H　チンゲン菜
青菜も新しい種類に挑戦

100g（4枚）
熱湯でやわらかくゆでて、水けをきって葉先を1cm大、軸を5〜6mm大に切る。ラップで1本の棒状に包む。冷凍用保存袋に入れて冷凍する。＊15gずつ折って使う。

B　うどん
刻み具合は加減して

ゆでうどん400g（2袋）
1〜2cm長さに切って5等分してラップで包み、冷凍用保存袋に入れて冷凍する。

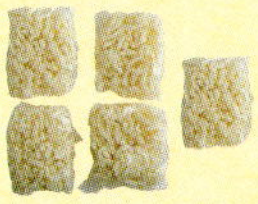

80g×5回

D　肉だんご
みんな大好き！

材料　合いびき肉80g、玉ねぎ40g（¼個分）、卵½個分、塩少々、かたくり粉小さじ2

作り方
1 玉ねぎはすりおろし、ひき肉に加える。残りの材料も加えてよくこねて12等分に丸め、熱湯でゆでる。3個ずつ保存容器に入れて冷凍する。

3個×4回

F　きのこ
食物繊維が豊富！

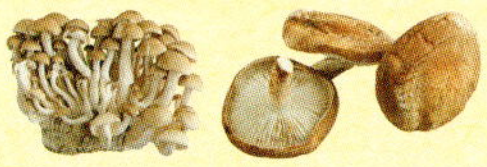

生しいたけ大2枚、しめじ50g
しいたけは軸をのぞき、薄切りして7〜8mm長さに切る。しめじは石づきを落として7〜8mm長さに切る。しいたけとしめじを一緒に熱湯で2分ほどゆでる。20gずつ保存容器に入れて冷凍する。

20g×5回分

Plus　家にある食材

ロールパン
バターが含まれるので、パクパク期以降に。

ホールコーン缶
冷凍コーンの場合は、解凍してから使おう。

卵
栄養価が高い食材。パクパク期は全卵½〜⅔個以下が目安。

ピザ用チーズ
塩分、脂肪分が多いので、小さじ1（4〜5g）以下に。

牛乳
1歳以降は加熱して調理に使うのも、飲むのもOK！

かつおぶし
かつおのおいしさがつまっている。うまみをプラスしたいときに。

いちご
つぶしやすいので、赤ちゃんが食べやすい。

ごま油
ごまの風味があるので、味のアクセントに。

トマトケチャップ
トマト味に仕上げたいときに。いろいろな調味料が含まれているので、少量を。

かたくり粉
とろみをつけたいときに使う。使い方はp.38参照。

砂糖
砂糖は赤ちゃんの体の負担になるので、ごく少量を。

塩
塩は赤ちゃんの腎臓に負担になるので、使いすぎに注意。

みそ
塩分を含むので使いすぎに注意。だし入りは添加物が入っているので避けよう。

黒すりごま
おかゆや野菜と混ぜて、味と食感のアクセントに。ミネラルが豊富！

カレー粉
いくつかのスパイスが混ざっていて刺激が強いので、ごく少量を。

しょうゆ
塩分を含むので使いすぎに注意。

マヨネーズ
生卵を含むので1歳まではしっかり火を通すこと。

白すりごま
おかゆや野菜と混ぜて、味と食感にアクセント。ミネラルが豊富！

えびと野菜のとろみあんかけうどん

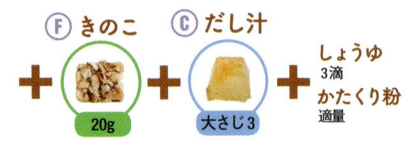

材料 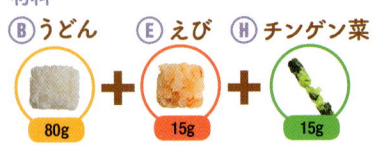
- Ⓑ うどん 80g
- Ⓔ えび 15g
- Ⓗ チンゲン菜 15g
- Ⓕ きのこ 20g
- Ⓒ だし汁 大さじ3
- しょうゆ 3滴
- かたくり粉 適量

作り方
1. うどんに水小さじ½をふり、ラップをかけて電子レンジで1分40秒～1分50秒加熱する。
2. 小鍋にだし汁を入れて火にかける。溶けたらえび、チンゲン菜、きのこを加えて煮る。溶けて煮立ったらしょうゆ、水溶きかたくり粉を加えてとろみをつけ、1にかける。

いちごミルク

材料
- いちご 1個(20g)
- 牛乳 大さじ1½～2

作り方
1. いちごはフォークなどでつぶし、牛乳を混ぜる。

軟飯

材料
- Ⓐ 軟飯 80～90g

作り方
1. 軟飯に水小さじ½をふり、ラップをかけて電子レンジで1分50秒～2分20秒加熱する。

えびとチンゲン菜の卵炒め

材料 
- Ⓔ えび 15g
- Ⓗ チンゲン菜 15g
- ごま油 小さじ½
- 溶き卵 ¼個分(15g)
- しょうゆ 小さじ¼

作り方
1. えびとチンゲン菜を合わせて水小さじ½をふり、ラップをかけて電子レンジで50秒～1分加熱する。
2. フライパンにごま油を熱し、溶き卵を入れて炒め、1を加えて全体を炒める。卵にしっかり火が通ったら、しょうゆを加えて混ぜる。

きのこのスープ

材料 
- Ⓕ きのこ 20g
- Ⓒ だし汁 大さじ3
- ホールコーン缶 小さじ1
- 牛乳 大さじ1
- 塩 少々
- かたくり粉 適量

作り方
1. コーンは薄皮をむいて粗く刻む。
2. 小鍋にだし汁を入れて火にかけ、溶けたら、きのこを加えて煮る。きのこが溶けたら1、牛乳、塩を加えて混ぜる。煮立ったら、水溶きかたくり粉を加えて混ぜ、とろみがつくまで混ぜながら煮る。

月曜日 Monday

いちごミルク

えびのだしがきいたあんかけ

えびと野菜のとろみあんかけうどん

火曜日 Tuesday

中華風のおかずでご飯がすすむ!

きのこのスープ

えびとチンゲン菜の卵炒め

軟飯

水曜日 Wednesday

いちご

ロールパンにはさんでこぼれにくく

えびロールパンサンド

れんこんとチンゲン菜の中華スープ

パクパク期 11〜12週目

えびロールパンサンド

材料
- E えび 15g
- ホールコーン缶 小さじ2
- ロールパン 2/3個
- トマトケチャップ 小さじ1/2
- ピザ用チーズ 小さじ1

作り方
1. えびに水小さじ1/2をふり、ラップをかけて電子レンジで30〜40秒加熱する。コーンは薄皮をむいて加え、混ぜる。
2. ロールパンは半分に切り、それぞれに切り込みを入れ、切り口にケチャップをぬる。切り込みに1を詰め、ピザ用チーズをのせてオーブントースターで2〜3分焼く。

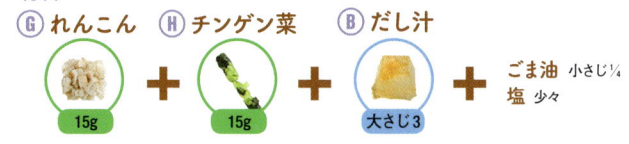

れんこんとチンゲン菜の中華スープ

材料
- G れんこん 15g
- H チンゲン菜 15g
- B だし汁 大さじ3
- ごま油 小さじ1/4
- 塩 少々

作り方
1. 小鍋にだし汁を入れて火にかけ、溶けたられんこん、チンゲン菜を加える。野菜が溶けて煮立ったらごま油、塩を加えて混ぜる。

いちご

材料
いちご 1/2個(10g)

作り方
1. いちごは5mm厚さに切る。

木曜日 Thursday

牛乳だけど和風、意外なおいしさ

肉だんごと野菜のうどん

れんこんごまあえ

肉だんごと野菜のうどん

材料
- B うどん 80g
- D 肉だんご 1回分
- H チンゲン菜 15g
- B だし汁 大さじ4
- 牛乳 大さじ1
- みそ 小さじ1/6

作り方
1. 小鍋にだし汁を入れて火にかけ、溶けたらうどん、肉だんご、チンゲン菜を加える。うどん、肉だんご、チンゲン菜が溶けて煮立ったら牛乳を加えて軽く煮て、火を止めてみそを溶き入れる。

れんこんごまあえ

材料
- G れんこん 15g
- 白すりごま 小さじ1/2
- 砂糖 小さじ1/2
- しょうゆ 小さじ1/4

作り方
1. れんこんに水小さじ1/2をふり、ラップをかけて電子レンジで50秒〜1分加熱する。残りの材料を加えて混ぜる。

軟飯

材料
- Ⓐ 軟飯 80〜90g

作り方
1. 軟飯に水小さじ½をふり、ラップをかけて電子レンジで1分50秒〜2分20秒加熱する。

肉だんごときのこのカレー風味スープ

材料
- Ⓓ 肉だんご 1回分 ＋ Ⓕ きのこ 20g ＋ Ⓒ だし汁 大さじ3 ＋ カレー粉 少々／しょうゆ 小さじ½

作り方
1. 小鍋にだし汁を入れて火にかけ、溶けてきたら肉だんご、きのこを加える。肉だんご、きのこが溶けて煮立ったらカレー粉、しょうゆを加えて混ぜる。

チンゲン菜のおひたし

材料
- Ⓗ チンゲン菜 15g ＋ かつおぶし ひとつまみ／しょうゆ 2滴

作り方
1. チンゲン菜に水小さじ½をふり、ラップをかけて電子レンジで30〜40秒加熱する。かつおぶし、しょうゆを加えて混ぜる。

金曜日 Friday ★★★

具だくさんスープにカレー粉でアクセントを

- 肉だんごときのこのカレー風味スープ
- 軟飯
- チンゲン菜のおひたし

焼きうどん

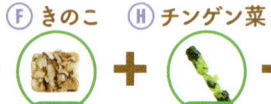

材料
- Ⓑ うどん 80g ＋ Ⓕ きのこ 20g ＋ Ⓗ チンゲン菜 15g ＋ ごま油 小さじ½／かつおぶし 3つまみ／しょうゆ 小さじ½

作り方
1. うどんときのこ、チンゲン菜を合わせて水小さじ½をふり、ラップをかけて電子レンジで1分40秒〜1分50秒加熱する。
2. フライパンにごま油を熱して1を入れてさっと炒め、かつおぶし、しょうゆを加えて混ぜる。

照り焼き肉だんご

材料
- Ⓓ 肉だんご 1回分 ＋ Ⓒ だし汁 大さじ1 ＋ しょうゆ 小さじ¼／砂糖 小さじ¼／かたくり粉 適量

作り方
1. 肉だんごとだし汁を合わせ、電子レンジで1分20秒〜1分30秒加熱する。しょうゆ、砂糖、水溶きかたくり粉を加えて混ぜ、ラップをかけて電子レンジで10〜20秒加熱する。

土曜日 Saturday ★★★

かつおぶしの香ばしさがおいしい！

- 焼きうどん
- 照り焼き肉だんご

日曜日 Sunday

子どもの好きな えび&卵の 合わせ技

いちご

えびと卵の ロールパンサンド

きのことコーンのサラダ

パクパク期 11〜12週目

えびと卵のロールパンサンド

材料
Ⓔ えび 15g
＋
ロールパン ⅔個
ゆで卵 ¼個
マヨネーズ 小さじ½

作り方
1. えびに水小さじ½をふり、ラップをかけて電子レンジで30〜40秒加熱する。
2. ロールパンを半分に切り、それぞれに切り込みを入れる。
3. ゆで卵は刻んでマヨネーズと混ぜ、2に1とともにはさむ。

きのことコーンのサラダ

材料
Ⓕ きのこ 20g
＋
ホールコーン缶 小さじ1

作り方
1. きのこに水小さじ½をふり、ラップをかけて電子レンジで50〜1分加熱する。コーンは薄皮をむいて加え、混ぜる。

いちご

材料
いちご ½個(10g)

作り方
1. いちごは5mm厚さに切る。

チーズと黒ごまが香ばしい！

おやつ Oyatsu

ごまチーズせんべい

ごまチーズせんべい

※6〜8個（2回分）できあがる。保存するときは冷蔵で3日、冷凍で1週間を目安に。

材料
Ⓐ 軟飯 80〜90g
＋
ピザ用チーズ 10g
黒すりごま 小さじ1

作り方
1. 軟飯に水小さじ½をふり、ラップをかけて電子レンジで1分50秒〜2分20秒加熱する。
2. 1をポリ袋に入れて指でつぶし、ピザ用チーズ、ごまを加えて混ぜる。6〜8等分して平たくのばし、フライパンに入れて両面がきつね色になるまで焼く。

川口先生に聞く！ アレルギーの知識

Column 4

離乳食をはじめると、心配なのが食物アレルギー。
アレルギーについて、管理栄養士の川口由美子先生に教えていただきました。

Q アレルギーがおこる可能性のある食べものは避けるべき？

A アレルゲンはいろいろな食品のたんぱく質に主に含まれます。肉、魚、卵、乳製品など、アレルゲンとなる強さは異なりますが、たんぱく質を含む食べものには、多かれ少なかれアレルギーになる可能性は含まれています。それらをすべて食べないとなると、細胞を作るもととなるたんぱく質の摂取が少なくなってしまいます。医師より食事を制限するように言われた場合をのぞき、なるべくいろいろな食材にチャレンジしましょう。もし家族遺伝などがあり、アレルギーが心配な食品があれば、はじめる時期を遅くするのが有効です。その場合はたんぱく質を何で補うのかも考えておきましょう。

Q アレルギーがあるかもしれないと思ったら…。

A 家族にアレルギーの人がいる場合は、アレルゲンとなりやすい、卵、牛乳の開始を1歳ごろからにしても構いません。甲殻類などは食べなくても成長に大きな影響もありませんので、1歳6カ月をすぎてからでも構いません。ほかのたんぱく質で補うようにこころがけましょう。アレルギーは、その原因となる物質や、症状が成長によって異なってくる場合があります。乳幼児期は腸などが発達段階にあるため、アレルギーが出やすいもの。成長とともに3歳ごろまでに症状が緩和していくケースが多く見られますので、離乳食期にアレルギーが判明しても、深刻になりすぎる必要はありません。ただ、乳児期は皮膚症状で出ていたアレルギーの症状が、アレルギー性鼻炎やぜんそくなどに変わっていくアレルギーマーチとよばれるケースも見られます。ですので、皮膚だけだからとアレルギーを軽視せずに医師に相談しましょう。

Q 食物アレルギーとは、どんなもの？

A 食物アレルギーは、体内に入り込んだ特定のたんぱく質に反応しておこる免疫のトラブルです。遺伝などの体質により、アレルギーになりやすい人がいますが、親などには見られないのに赤ちゃんにはアレルギーがおこる場合もあります。また症状も、体に発疹ができたり、かゆみが出たり、お腹を壊したり、咳が出たりなどさまざまです。大変な場合には、アナフィラキシーショックという意識障害がおきることがあるので、注意が必要です。

Q 食物アレルギーはどうしておきるの？

A 食べもののたんぱく質に含まれるアレルゲンが、腸からアレルゲンとして吸収されると、そのアレルゲンに対して、IgE抗体という体内を守ろうとして攻撃する免疫反応が働きます。つまり、食べもののたんぱく質を異物だととらえてしまい、それが過剰に反応することで症状が現れるのです。

食物アレルギーの原因食品

1位	鶏卵	39%
2位	牛乳	22%
3位	小麦	12%
4位	ピーナッツ	5%
5位	果物類	4%
6位	魚卵	4%
7位	甲殻類	3%
8位	木の実類	2%
9位	そば	2%
10位	魚類	2%
	その他	5%

出典：「食物アレルギーの診療の手引き2014」を基に作成

Column 5 困った！具合が悪いときは

離乳食初期では、具合が悪ければ離乳食はおやすみします。
中期以降は、食べやすいようにひとつ前の段階の離乳食に戻しますが、
基本的に、食欲がなければ食べさせなくて構いません。症状別の対応策を紹介します。

嘔吐

赤ちゃんの胃はまだ未熟で、胃の内容物が逆流しやすく、吐いてしまいがち。吐いたら、再び吐くことがあるので、気管に吐いたものが詰まらないように顔を横に向けましょう。吐くと脱水症状をおこすことがあるので、白湯や麦茶、乳幼児用のイオン飲料などでスプーン1、2杯など少しずつ水分補給を。吐き気があるうちは、食べものは与えないようにします。おっぱい・ミルクが飲めるなら飲ませましょう。

食欲不振

赤ちゃんは具合にかかわらず、食べたくない気分になることもあります。気分転換で外に出てみたりするのも効果的ですし、公園や児童館など場所を変えてあげてみるのもよいでしょう。無理に離乳食を与えずに、体重の推移を見てみましょう。体重が増えていれば大丈夫ですが、増えないときは医師に相談しましょう。食べたがらないときは、赤ちゃんが好きなもの、食べたいものを与えてみるのも方法のひとつです。おっぱい・ミルクをほしがるときは好きなだけ飲ませてあげて。

下痢

便がゆるくても、赤ちゃんが元気で食欲があれば、心配しなくて大丈夫。ふだん通りの離乳食で、白湯や麦茶、乳幼児用イオン飲料、スープなどで水分をしっかりとりましょう。下痢のときは離乳食はやめて、ひと口ずつ水分補給を行います。腸を刺激するような繊維の多い野菜（きのこ、さつまいもなど）や脂肪の多い食品（肉など）はしばらく避けましょう。食欲があるなら、やわらかく煮た野菜、りんごのすりおろし、消化のよいおじや、おかゆ、うどんなどがおすすめです。

熱

熱のせいで食欲が落ちているときは、無理に食べさせなくて構いません。熱が出ると、汗や呼吸などで体内の水分が失われるので、水分補給をしっかりと。水分は、白湯や麦茶、乳幼児用のイオン飲料がおすすめです。まずはスプーンで1、2杯程度を飲ませましょう。発熱で胃腸が弱っています。食欲があるときは、おじややうどんなど、消化吸収がよく、のどごしのよいものを与えてください。発熱するとビタミン・ミネラルが失われるので、食欲が出てきたら果物や野菜からとりましょう。

鼻水・鼻づまり

鼻が詰まると食べづらいものです。無理に食べさせなくて構いません。体内から鼻水（水分）が出ているので、白湯や麦茶などの水分をひと口ずつ補給します。粘膜に抵抗力をつけるために、β-カロテンやビタミンCが豊富なにんじん、かぼちゃを食べさせるとよいでしょう。うどんなどの温かいものは、湯気で鼻の通りがよくなるのでおすすめです。

便秘

離乳食をはじめると、うんちが出にくくなることがあります。これは、水分不足が原因なので、白湯や麦茶、スープなどで水分を多くとりましょう。体調をくずしたり、生活リズムが狂ったりすると便秘になることもあります。食物繊維を多く含むさつまいも、ペクチンを多く含むバナナなどを食べると、腸の動きが活発になり、便通がよくなります。また、お腹をやさしくなでたり、足を持って動かすなどのベビー体操（マッサージ）も効果的です。赤ちゃんの排便リズムはそれぞれ。1日出ないと苦しむ赤ちゃんもいれば、3日ほど出なくても平気な赤ちゃんもいます。お腹の張り具合や元気の度合い、食欲などを総合的に見ることが大切です。便が4日ほど出ないことが定期的に続いたら、医師に相談してみるとよいでしょう。

口内炎

口内炎ができると、食欲があっても痛くて食べたり飲んだりしづらいもの。刺激を与えないように塩けや酸味をおさえた薄味にするほか、口当たりがよいようにやわらかくてとろみがある調理法にしましょう。白湯や麦茶をひと口ずつ飲ませて水分補給をします。また、一度に食べられる量が少なくなるので、ふだんより回数を増やしてもよいでしょう。

せき

白湯や麦茶をひと口ずつから飲ませて水分補給をし、たんを出しやすくします。せきが続く場合、のどに炎症がおきている可能性が高いので、塩けや酸味のある味つけは避けましょう。食欲があれば、やわらかく煮たうどん、とろとろのおじや、おかゆなど、のどに刺激がなく、飲み込みやすいものを与えます。水溶き片栗粉などを用いてとろみをつけると、飲み込みやすくなるのでおすすめです。

\ 生えはじめたらきちんとケア /

歯みがきの方法

Column 6

そろそろ気になる、歯みがきのこと。いつから？ どうやって？
赤ちゃんの歯のケア方法をお教えします。

赤ちゃんの歯が生える時期

- **6カ月** … 下の前歯2本が生える
- **1歳** … 上下の前歯が4本ずつ（計8本）生える
- **1歳半** … 第一乳歯12本が生える
- **2歳半** … 乳歯列20本が生える

※赤ちゃんの歯の生え方は、個人差があり、6カ月くらい前後することもあります。

赤ちゃんの歯みがきは、いつからはじめるの？

下の前歯2本が合図

一般的に、赤ちゃんの歯が生えはじめるのは生後6～7カ月と言われています。離乳食を開始して少し経った時期です。ただ、歯が生える時期は個人差が大きく、生後3カ月に生えはじめる子もいれば、1歳をすぎてから生えはじめる子も。歯みがきは、下の前歯2本が生えたらスタートするとよいでしょう。まずは歯みがきに慣らすことが大切ですが、最初からすんなり磨かせてくれる子ばかりではありません。あまり焦らずとも大丈夫。おっぱい・ミルク、初期の離乳食は、大人の食事や間食とちがって糖分が少ないので、虫歯の心配はさほどありません。赤ちゃんの唾液の自浄作用で清潔を保てます。歯みがきができないときは、食後に白湯や麦茶などを飲ませて、口の中をスッキリさせます。2歳をすぎると虫歯のリスクが高まるので、必ず歯みがきを。

どのようにみがくとよいの？

赤ちゃんは、6カ月ごろから口になんでも入れたがります。歯ブラシも自分で持たせると、抵抗なく口に入れることでしょう。ただし、1歳くらいになり歩きはじめたら、歯ブラシをくわえながら歩くと危険。歯ブラシを持たせるときは必ず座ることをルールにしましょう。

自分用の歯ブラシでみがくまねをさせた後は、仕上げみがきです。はじめのうちは、赤ちゃんをママのひざに寝かせて、「寝かせみがき」をしましょう。力を入れすぎず、軽く触れるていどの感覚でやさしくみがきます。歯ブラシは歯の面に直角に当て、横に細かく5mm幅ほど動かしましょう。上の前歯の間にある小帯（唇と歯ぐきをつないでいる筋）に歯ブラシが当たると痛いので、人さし指で押さえるなどして、ぶつからないように気をつけます。

歯みがきは、離乳食と同じように時間を決めて行い、赤ちゃんの生活のリズムをつくるとよいでしょう。

歯ブラシ、歯みがき粉の選び方

歯ブラシ 赤ちゃん用を使います。ブラシの毛がやわらかく密集していて毛先が細く、なめらかなものがおすすめ。また、毛先がギザギザではなく、真っ直ぐにカットされているものは、歯ぐきに当たっても痛くありません。歯ブラシは、仕上げみがき用と自分みがき用を別に用意しますが、ブラシ部分の選び方はどちらも同じ。自分みがき用は口に入れやすい形状のものを、仕上げ用はママが持ちやすいものを選びましょう。赤ちゃんは歯ブラシをかじってすぐにボロボロにしてしまうので、1カ月に1回は交換を。

歯みがき粉 つけなくて構いません。大人用は刺激が強すぎるので、使う場合は赤ちゃん・幼児用のジェルタイプのものを選んで。誤飲しても安全な材料が使われています。赤ちゃんは口をすすげないので、歯みがき粉は最後に拭きとってあげましょう。

歯みがきは楽しく！

歌いながら、おしゃべりしながらなど、楽しい雰囲気をつくって歯みがきをしましょう。ママが楽しそうに歯みがきする姿を見せてあげるのも効果的。赤ちゃんがまねして自分でもみがくしぐさをするようになります。そして、歯みがきが終わったら「よくがんばったね」とほめてあげることもたいせつ。

歯ブラシを入れるのを怖がるときは無理せず、ガーゼを指に巻いて歯を拭くなどして、徐々に口の中をさわられることに慣れさせます。口をさわられるのは本能的に嫌なもの。日ごろから、口や頬をさわって遊んで慣れさせるのもよいでしょう。

\ 1歳6カ月・歯科検診デビュー /

自治体による赤ちゃんの歯科検診は、1歳6カ月ごろに行われることが多いようです。2歳をすぎると徐々に虫歯のリスクが高まります。1歳半の歯科検診をきっかけに、歯科医院での定期的な虫歯チェックをスタートさせたいものです。

歯みがき指導：はる歯科室（歯科医・近藤裕子）

フリージング離乳食
食材&時期別メニューさくいん

＊印がついているものは、冷凍していない、「お家にある食材」を使っているメニューです。
ページの数字は各時期別に色分けしています。

ゴックン期…5〜6カ月ごろ　モグモグ期…7〜8カ月ごろ
カミカミ期…9〜11カ月ごろ　パクパク期…1歳〜1歳6カ月ごろ

チキンとさつまいもの
　ミルクスープ…65＊
かぼちゃのミルクスープ…69＊
チキンクリーム煮…74
チキンドリア…76
にんじんチキンクリーム煮…77
まぐろとほうれん草のクリーム煮…82
かぼちゃのスープ…84
まぐろとほうれん草のスープ…84
まぐろとほうれん草の
　パングラタン…85
白菜と鶏肉のクリームスープ…93
チキンのクリームソース…94
めかじきと白菜のパングラタン…94＊
じゃがいものミルクスープ…99＊
かぼちゃのスープ…104＊
ほうれん草とにんじんの
　チキンクリームパスタ…108
チキンのみそクリーム煮
　のっけごはん…109
桜えびとブロッコリーの
　クリームトースト…110
棒棒鶏風サラダ…110＊
バナナジュース…110＊
野菜蒸しパン…111＊
さけとピーマンのクリームパスタ…114＊
さつまいもきなこボール…114＊
いちごミルク…118＊
きのこのスープ…118＊
肉だんごと野菜のうどん…119＊

●プレーンヨーグルト
きなこヨーグルト…57＊
りんごヨーグルト…113＊
さつまいもとりんごの
　ヨーグルトがけ…115＊
ピーマンのおいもサラダ…116＊

●カッテージチーズ
チーズかぼちゃがゆ…67＊
かぼちゃのチーズあえ…68＊
ブロッコリーチーズ…69＊
野菜ロールサンド…83＊
かぼちゃのサンドイッチ…84＊
まぐろとほうれん草の
　パングラタン…85＊
かぼちゃのチーズボール…85＊

●粉チーズ
7倍がゆのリゾット風…58＊
ミルクリゾット…60＊
チキンドリア…76＊
ほうれん草とトマトののっけがゆ…77＊
パプリカ＆かぶのチーズあえ…88＊
ひじきとにんじんのチーズあえ…94＊
めかじきと白菜のパングラタン…94＊
じゃがいもチーズ…101＊
豚タコライス…104＊

たんぱく質源食品

大豆製品
●豆腐
かぼちゃと豆腐のスープ…48＊
豆腐がゆ…49＊
かぶの白あえ…55＊
豆腐がゆ…56＊
トマトといんげんの温やっこ…61＊
ほうれん草の白あえ…75＊
トマトと豆腐のスープ…76＊
めかじきの豆腐あん…77＊
麻婆豆腐なす…89＊
豆腐となすのみそ汁…104＊
なすの白あえ…105＊
豆腐とひじきのみそ汁…113＊
ピーマンとひじきの豆腐炒め…114＊
麻婆風のっけごはん…115＊

●納豆
玉ねぎ納豆…59
納豆がゆ…59
トマト納豆…60
キャベツの納豆あえ…79
なすと納豆のみそ汁…103＊
納豆ぶっかけそうめん…105＊

●きなこ
にんじんがゆ…54＊
きなこヨーグルト…57＊
ごはんもち…96＊
さつまいもきなこボール…114＊

卵
アスパラと卵のそうめん…63＊
卵がゆ…65＊
ほうれん草卵がゆ…85＊
そうめんチャンプルー…88＊
めかじきの卵炒め…93＊
ひじきとにんじんの卵とじ…95＊
親子丼…96＊
そうめんチャンプルー…103＊
まぐろと卵のにゅうめん…105＊
枝豆いり卵…114＊
さけとひじきのチャーハン…115＊
スイートポテト…116＊
えびとチンゲン菜の卵炒め…118＊
肉だんごと野菜のうどん…119＊
肉だんごときのこの
　カレー風味スープ…120
照り焼き肉だんご…120
えびと卵のロールサンド…121＊

乳製品
●牛乳
キャベツとかぶのミルクスープ…56＊
トマトとツナのミルクスープ…60＊
ミルクリゾット…60＊

鶏とアスパラと
　パプリカのそうめん…64
麻婆なすと小松菜のそうめん…86
そうめんチャンプルー…88
そうめんチャンプルー…103＊
まぐろと卵のにゅうめん…105＊
納豆ぶっかけそうめん…105＊

●パン（食パン、ロールパン）
パンがゆ…49
スティックパン…82＊
野菜ロールサンド…83＊
かぼちゃのサンドイッチ…84＊
まぐろとほうれん草の
　パングラタン…85
スティックパン…93＊、99＊
めかじきと白菜のパングラタン…94＊
牛肉トマトの和風ピザトースト…100
桜えびとブロッコリーの
　クリームトースト…110＊
チキンサンド…110＊
えびロールパンサンド…119＊
えびと卵のロールサンド…121＊

●スパゲティ
ほうれん草とにんじんの
　チキンクリームパスタ…108＊
かつおとブロッコリーの
　和風スープパスタ…109＊
ミートソーススパゲティ…113＊
さけとピーマンのクリームパスタ…114＊

●麩
麩がゆ…63＊

●さつまいも
さつまいもペースト…44
いもがゆ…46
おいもと大根のポタージュ…47
さつまいものだし煮…63
さつまいものそぼろ煮…64
チキンとさつまいもの
　ミルクスープ…65
さつまいもスティック…86、87
さつまいもとバナナ…88
さつまいもきなこボール…114
さつまいもとりんごの
　ヨーグルトがけ…115
ピーマンのおいもサラダ…116
スイートポテト…116

●じゃがいも
たらコロッケ…87、88、89
トマト肉じゃが…98
じゃがいものミルクスープ…99
あじとポテトのおやき…100
ポテトマサラダ…101
じゃがいもチーズ…101

エネルギー源食品

●米
10倍がゆ…14、44、45、46、47、48、50、51
いもがゆ…46
豆腐がゆ…49
しらすがゆ…50
7倍がゆ…14、56、57、59、60、61、62、64、
　65、66、67、68、69
にんじんがゆ…54
さけがゆ…55
豆腐がゆ…56
7倍がゆのリゾット風…58
納豆がゆ…59
ミルクリゾット…60
青のりがゆ…61
麩がゆ…63
卵がゆ…65
チーズかぼちゃがゆ…67
ささみトマトがゆ…69
5倍がゆ…14、75、76、77、79、80、81、84、
　87、88、89
おかかトマトの5倍がゆ…74
5倍がゆのごまがけ…75
チキンドリア…76
ほうれん草とトマトののっけがゆ…77
ひじきとそぼろの混ぜごはん…80
かぼちゃがゆ…83
ほうれん草卵がゆ…85
小松菜おかかおにぎり…87
軟飯…14、93、94、95、98、99、103、104、
　106、111、118、120
ひじきとにんじんの混ぜごはん…95
親子丼…96
ごはんもち…96
軟飯おにぎり…98、108、114
わかめごはん…101
豚タコライス…104
チキンのみそクリーム煮
　のっけごはん…109
枝豆ごはん…113
さけとひじきのチャーハン…115
麻婆風のっけごはん…115
ミートドリア…116
ごまチーズせんべい…121

●うどん
キャベツとにんじんのうどん…55
さけキャベツうどん…57
ひじきとにんじんのそぼろうどん…78
キャベツごまうどん…79
えびと野菜の
　とろみあんかけうどん…118
肉だんごと野菜のうどん…119
焼きうどん…120

●そうめん
アスパラと卵のそうめん…63

キャベツとかぶのミルクスープ…56
さけキャベツうどん…57
キャベツの納豆あえ…79
キャベツごまうどん…79
ツナと野菜のあんかけ…80
ツナとキャベツと
　　トマトのごまあえ…81
キャベツそぼろのバターあえ…83
ひき肉とキャベツのスープ…83
キャベツとそぼろのとろみあん…84
ラタトゥイユ…103
そうめんチャンプルー…103
まぐろと野菜のだしあん…104
豚タコライス…104
キャベツとトマトのあえもの…105
納豆ぶっかけそうめん…105
キャベツトマのケチャップあえ…106

●グリーンアスパラガス
アスパラと卵のそうめん…63
鶏とアスパラと
　　パプリカのそうめん…64
アスパラとパプリカのだし煮…65

●ごぼう
根菜のみそ汁…98
牛肉と根菜のすき煮…99
根菜とわかめのみそ汁…100
根菜のりサラダ…100

●小松菜
小松菜ペースト…45
大根と小松菜のペースト…47
麻婆なすと小松菜のそうめん…86
小松菜のバターあえ…87
小松菜おかかおにぎり…87

●さやいんげん
納豆がゆ…59
ツナといんげんのだし煮…61
トマトといんげんの温やっこ…61

●しめじ
えびと野菜の
　　とろみあんかけうどん…118
きのこのスープ…118
肉だんごときのこの
　　カレー風味スープ…120
焼きうどん…120
きのことコーンのサラダ…121

●大根
大根ペースト…46
大根と小松菜のペースト…47
おいもと大根のポタージュ…47
野菜ロールサンド…83
スティック野菜…85
根菜のみそ汁…98
牛肉と根菜のすき煮…99
根菜とわかめのみそ汁…100
根菜のりサラダ…100

●玉ねぎ
玉ねぎ納豆…59
ほうれん草と玉ねぎのスープ…59
トマトとツナのミルクスープ…60

にんじんチキンクリーム煮…77
ひじきとにんじんのそぼろうどん…78
トマトとひじきと
　　にんじんのそぼろ煮…79
ひじきとそぼろの混ぜごはん…80
ひじきとにんじんのそぼろ煮…81

●豚ひき肉
キャベツそぼろのバターあえ…83
ひき肉とキャベツのスープ…83
キャベツとそぼろのとろみあん…84
麻婆なすと小松菜のそうめん…86
麻婆なす…87
麻婆豆腐なす…89
ミートソーススパゲティ…113
麻婆風のっけごはん…115
ミートドリア…116

●合いびき肉
肉だんごと野菜のうどん…119
肉だんごときのこの
　　カレー風味スープ…120
照り焼き肉だんご…120

ビタミン・ミネラル源食品

野菜
●枝豆
枝豆ごはん…113
枝豆いり卵…114
ひじきと枝豆のスープ…115
ミートドリア…116

●かぶ
かぶの白あえ…55
野菜のだし煮…55
キャベツとかぶのミルクスープ…56
さけとかぶのだし煮…57
パプリカ＆かぶのチーズあえ…88
そうめんチャンプルー…88
かぶとパプリカのおかかあえ…89
かつおの角煮…108
かつおとブロッコリーの
　　和風スープパスタ…109

●かぼちゃ
かぼちゃと豆腐のスープ…48
にんじんとかぼちゃのとろとろ…49
かぼちゃのペースト…50
チーズかぼちゃがゆ…67
かぼちゃのチーズあえ…68
たいとかぼちゃのとろとろスープ…68
かぼちゃのミルクスープ…69
かぼちゃがゆ…83
かぼちゃのスープ…84
かぼちゃのサンドイッチ…84
かぼちゃのチーズボール…85
ラタトゥイユ…103
かぼちゃのスープ…104
かぼちゃのコロッケ風…106
かぼちゃのごま茶巾…106

●キャベツ
キャベツとさけのだし煮…54
キャベツとにんじんのうどん…55

かぶとパプリカのおかかあえ…89*
ピーマンとひじきの豆腐炒め…114*
ひじきとおかかのスープ…115*
チンゲン菜のおひたし…120*
焼きうどん…120*

●桜えび
わかめと桜えびのスープ…108*
桜えびとブロッコリーの
　　クリームトースト…110*

●しらす
しらすがゆ…50
ほうれん草としらすのだし煮…50
にんじんとしらすのスープ…51

●ツナ（水煮缶）
トマトとツナのとろみあん…58
ほうれん草とツナのだしあえ…59
トマトとツナのミルクスープ…60
ツナといんげんのだし煮…61
ツナとトマトのだし煮…79
ツナと野菜のあんかけ…80
ツナとキャベツとトマトの
　　ごまあえ…81

鶏肉
●ささみ
パプリカのそぼろ煮…62
鶏そぼろあん…63
さつまいものそぼろ煮…64
鶏とアスパラと
　　パプリカのそうめん…64
チキンとさつまいもの
　　ミルクスープ…65
ささみとブロッコリーのだし煮…66
ささみブロッコリーのトマトあえ…67
ささみトマトがゆ…69
ほうれん草とにんじんの
　　チキンクリームパスタ…108
チキンのみそクリーム煮
　　のっけごはん…109
棒棒鶏風サラダ…110
チキンサンド…110
チキンソテー、野菜のグラッセ風…111

●鶏もも肉
白菜と鶏肉のクリームスープ…93
チキンのクリームソース…94
親子丼…96

豚肉
豚玉炒め…103
豚タコライス…104
かぼちゃのコロッケ風…106

牛肉
トマト肉じゃが…98
牛肉と根菜のすき煮…99
牛肉トマトの和風ピザトースト…100
牛肉と春雨のすき煮…101

ひき肉
●鶏むねひき肉
チキンクリーム煮…74
チキンドリア…76

ミートドリア…116*

●ピザ用チーズ
あじのトマトチーズ焼き…99*
牛肉トマトの和風ピザトースト…100*
えびロールパンサンド…119*
ごまチーズせんべい…121*

魚
●あじ
あじのグリル、トマト添え…98
あじのトマトチーズ焼き…99
あじとポテトのおやき…100

●えび
えびと野菜のとろみ
　　あんかけうどん…118
えびとチンゲン菜の卵炒め…118
えびロールパンサンド…119
えびと卵のロールサンド…121

●かつお
かつおの角煮…108
かつおとブロッコリーの
　　和風スープパスタ…109

●さけ
キャベツとさけのだし煮…54
さけがゆ…55
さけキャベツうどん…57
さけとかぶのだし煮…57
焼きざけ…113
さけとピーマンのクリームパスタ…114
さけとひじきのチャーハン…115

●たい
たいとトマトのだし煮…67
たいのだしあん…68
たいとかぼちゃのとろとろスープ…68

●たら
たらコロッケ…87、88、89

●まぐろ
まぐろとほうれん草のクリーム煮…82
まぐろとほうれん草のスープ…84
まぐろとほうれん草の
　　パングラタン…85
まぐろと野菜のだしあん…104
まぐろと卵のにゅうめん…105

●めかじき
めかじきのだし煮…75
めかじきのみそ汁…75
めかじきの豆腐あん…77
めかじきの卵炒め…93
めかじきと白菜のパングラタン…94
めかじきの照り焼き…95

魚介加工品
●かつおぶし
おかかトマトの5倍がゆ…74*
ほうれん草のおひたし…76*
小松菜おかかおにぎり…87*
そうめんチャンプルー…88*

126

フリージング離乳食　食材&時期別メニューさくいん

ひじきとにんじんのチーズあえ…94
ひじきとにんじんのスープ…94
ひじきとにんじんの卵とじ…95
ひじきとにんじんの混ぜごはん…95
豆腐とひじきのみそ汁…113
ピーマンとひじきの豆腐炒め…114
さけとひじきのチャーハン…115
ひじきと枝豆のスープ…115

●乾燥わかめ
トマトとわかめのサラダ…99*
根菜とわかめのみそ汁…100*
わかめごはん…101*
わかめと桜えびのスープ…108*
わかめとブロッコリーのみそ汁…111*

●のり
軟飯おにぎり…98*、108*
根菜のりサラダ…100*

果物

●いちご
いちご…67*、119*、121*
いちごミルク…118

●バナナ
スライスバナナ…78*
バナナ…80*、89*、109*
さつまいもバナナ…88
スティックバナナ…108*
バナナジュース…110*

●りんご
すりおろしりんご…63*
りんごヨーグルト…113
さつまいもとりんごの
　　ヨーグルトがけ…115

そのほか

●黒いりごま
スイートポテト…116*

●黒すりごま
ごまチーズせんべい…121*

●白すりごま
5倍がゆのごまがけ…75*
にんじんのごまあえ…77*
キャベツごまうどん…79*
ツナとキャベツと
　　トマトのごまあえ…81*
白菜のナムル…95*
プチトマトのごまあえ…96*
なすの白あえ…105*
かぼちゃのごま茶巾…106*
ほうれん草にんじんのマヨごま…109*
棒棒鶏風サラダ…110*
れんこんごまあえ…119*

●春雨
トマト肉じゃが…98
牛肉と根菜のすき煮…99
牛肉トマトの和風ピザトースト…100
牛肉と春雨のすき煮…101

●ピーマン（赤、緑）
ミートソーススパゲティ…113
ピーマンとひじきの豆腐炒め…114
さけとピーマンのクリームパスタ…114
ピーマンのおいもサラダ…116

●プチトマト
プチトマト…93*
プチトマトのごまあえ…96*

●ブロッコリー
ささみとブロッコリーのだし煮…66
ささみブロッコリーのトマトあえ…67
ブロッコリーチーズ…69
チキンのみそクリーム煮
　　のっけごはん…109
かつおとブロッコリーの
　　和風スープパスタ…109
桜えびとブロッコリーの
　　クリームトースト…110
わかめとブロッコリーのみそ汁…111

●ほうれん草
ほうれん草のだし煮…49
ほうれん草としらすのだし煮…50
ほうれん草とにんじんのとろとろ…51
ほうれん草とツナのだしあえ…59
ほうれん草と玉ねぎのスープ…59
ほうれん草の白あえ…75
ほうれん草のおひたし…76
ほうれん草とトマトののっけがゆ…77
まぐろとほうれん草のクリーム煮…82
まぐろとほうれん草のスープ…84
まぐろとほうれん草の
　　パングラタン…85
ほうれん草卵がゆ…85
ほうれん草とにんじんの
　　チキンクリームパスタ…108
ほうれん草にんじんのマヨごま…109
棒棒鶏風サラダ…110
チキンサンド…110
チキンソテー、野菜のグラッセ風…111
野菜蒸しパン…111

●ホールコーン缶
きのこのコーンスープ…118*
えびロールパンサンド…119*
きのことコーンのサラダ…121*

●れんこん
れんこんとチンゲン菜の
　　中華スープ…119
れんこんごまあえ…119

海藻

●青のり
ほうれん草と玉ねぎのスープ…59*
青のりがゆ…61*

●乾燥ひじき
ひじきとにんじんのそぼろうどん…78
トマトとひじきと
　　にんじんのそぼろ煮…79
ひじきとそぼろの混ぜごはん…80
ひじきとにんじんのそぼろ煮…81
ひじきとにんじんのソテー…93

麻婆豆腐なす…89
ラタトゥイユ…103
なすと納豆のみそ汁…103
豆腐となすのみそ汁…104
なすの白あえ…105

●生しいたけ
えびと野菜のとろみ
　　あんかけうどん…118
きのこのスープ…118
肉だんごときのこの
　　カレー風味スープ…120
焼きうどん…120
きのことコーンのサラダ…121

●にんじん
にんじんとかぼちゃのとろとろ…49
ほうれん草とにんじんのとろとろ…51
にんじんとしらすのスープ…51
にんじんがゆ…54
キャベツとにんじんのうどん…55
野菜のだし煮…55
にんじんのだし煮…56
チキンクリーム煮…74
めかじきのみそ汁…75
チキンドリア…76
にんじんチキンクリーム煮…77
にんじんのごまあえ…77
ひじきとにんじんのそぼろうどん…78
トマトとひじきと
　　にんじんのそぼろ煮…79
ひじきとそぼろの混ぜごはん…80
ひじきとにんじんのそぼろ煮…81
野菜ロールサンド…83
スティック野菜…85
ひじきとにんじんのソテー…93
ひじきとにんじんのチーズあえ…94
ひじきとにんじんのスープ…94
ひじきとにんじんの卵とじ…95
ひじきとにんじんの混ぜごはん…95
根菜のみそ汁…98
牛肉と根菜のすき煮…99
根菜とわかめのみそ汁…100
根菜のりサラダ…100
ほうれん草とにんじんの
　　チキンクリームパスタ…108
ほうれん草にんじんのマヨごま…109
棒棒鶏風サラダ…110
チキンサンド…110
チキンソテー、野菜のグラッセ風…111
野菜蒸しパン…111

●白菜
白菜と鶏肉のクリームスープ…93
めかじきと白菜のパングラタン…94
白菜のナムル…95

●パプリカ（赤、黄）
パプリカのそぼろ煮…62
鶏とアスパラと
　　パプリカのそうめん…64
アスパラとパプリカのだし煮…65
パプリカ&かぶのチーズあえ…88
そうめんチャンプルー…88
かぶとパプリカのおかかあえ…89

チキンクリーム煮…74
チキンドリア…76
にんじんチキンクリーム煮…77
豚玉炒め…103
豚タコライス…104
かぼちゃのコロッケ風…106
ミートソーススパゲティ…113
麻婆風のっけごはん…115
ミートドリア…116
肉だんごと野菜のうどん…119
肉だんごときのこの
　　カレー風味スープ…120
照り焼き肉だんご…120

●チンゲン菜
えびと野菜のとろみ
　　あんかけうどん…118
えびとチンゲン菜の卵炒め…118
れんこんとチンゲン菜の
　　中華スープ…119
肉だんごと野菜のうどん…119
チンゲン菜のおひたし…120
焼きうどん…120

●トマト
トマトペースト…45、46
トマトとツナのとろみあん…58
トマトとツナのミルクスープ…60
トマト納豆…60
トマトといんげんの温やっこ…61
トマト…66、81
たいとトマトのだし煮…67
ささみブロッコリーのトマトあえ…67
ささみトマトがゆ…69
和風トマトスープ…69
おかかトマトの5倍がゆ…74
めかじきのみそ汁…75
トマトと豆腐のスープ…76
ほうれん草とトマトののっけがゆ…77
ツナとトマトのだし煮…79
トマトとひじきとにんじんの
　　そぼろ煮…79
ツナと野菜のあんかけ…80
トマトのだし煮…80
ツナとキャベツと
　　トマトのごまあえ…81
トマト肉じゃが…98
あじのグリル、トマト添え…98
あじのトマトチーズ焼き…99
トマトとわかめのサラダ…99
牛肉トマトの和風ピザトースト…100
ポテトマサラダ…101
ラタトゥイユ…103
そうめんチャンプルー…103
まぐろと野菜のだしあん…104
豚タコライス…104
キャベツとトマトのあえもの…105
納豆ぶっかけそうめん…105
キャベトマのケチャップあえ…106
ミートソーススパゲティ…113
麻婆風のっけごはん…115
ミートドリア…116

●なす
麻婆なすと小松菜のそうめん…86
麻婆なす…87

STAFF

撮影　原ヒデトシ（料理）、臼田洋一郎（人物）
スタイリング　河野亜紀（料理）
アートディレクション　ohmae-d
デザイン　ohmae-d
料理制作アシスタント　為我井あゆみ、小山沙理
モデル　登坂榮介、小池輪汰、花渕玲皇、冨田早笑（セントラル株式会社）
編集協力　平山祐子

撮影協力
AWABEES
UTUWA

1週間分作りおき！
フリージング離乳食 5ヵ月〜1歳半
2018年3月10日　発行

監修　　　川口由美子
料理制作　ほりえさちこ
発行者　　佐藤龍夫
発行所　　株式会社大泉書店
　　　　　〒162-0805　東京都新宿区矢来町27
　　　　　電話　03-3260-4001（代表）
　　　　　FAX　03-3260-4074
　　　　　振替　00140-7-1742
　　　　　URL　http://www.oizumishoten.co.jp
印刷・製本　大日本印刷株式会社

© 2016 Oizumishoten printed in Japan

監修・栄養指導
川口由美子（かわぐち　ゆみこ）

管理栄養士。女子栄養大学生涯学習講師。一般社団法人母子栄養協会代表理事。離乳食アドバイザー。幼児食アドバイザー。二児の母。女子栄養大学在学中に、小児栄養学研究室にて小児の体格と離乳食の変遷を研究。卒業後、育児関連会社でベビーフードの開発に携わった後、2000年独立。ウェブ、雑誌でレシピやコラムを執筆のほか、テレビや書籍の栄養監修を行う。著書・監修書に『アレルギーっ子の簡単毎日レシピ100』（青春出版社）、『子どもの身長ぐんぐんメソッド』（主婦の友社）など。

料理制作
ほりえさちこ

料理研究家。一児の母。和洋女子大学の食物栄養学専攻（現在の健康栄養学）を卒業後、フードコーディネーター養成スクールに通った後、同校の講師を経て独立。書籍や雑誌、テレビで活躍中。自らの育児経験を生かした離乳食やお弁当のレシピにとくに定評がある。著書に『はじめての離乳食とこどもごはん』（主婦と生活社）、『サラ弁』（主婦と生活社）など多数。

歯みがき指導
はる歯科室（歯科医・近藤裕子）

http://www.k-dent.net/

落丁・乱丁本は小社にてお取り替えいたします。
本書の内容についてのご質問は、ハガキまたはFAXでお願いします。

本書を無断で複写（コピー・スキャン・デジタル化等）することは、著作権法上認められている場合を除き、禁じられています。
小社は、著者から複写に係わる権利の管理につき委託を受けていますので、複写される場合は、必ず小社宛にご連絡ください。

ISBN978-4-278-03654-1　C0077　　　　R86